朝日新書
Asahi Shinsho 364

池上彰の政治の学校

池上　彰

朝日新聞出版

まえがき

２０１０年７月、参議院選挙の開票に合わせたテレビ東京の選挙特番で、私は司会を担当しました。おかげさまで視聴率民放２位という支持をいただきました。この番組の司会をするにあたって、私が気をつけたのは、たった一つです。それは「視聴者の多くは政治についてよく知らない」というのを前提にすることでした。

これまでの選挙特番というのは、出演する人もそれを解説する人も、政治のプロでした。当選した政治家、落選した政治家、政治評論家、政治記者……みんな政治のプロです。ところが、選挙の日に投票所へ行き、一票を投じて「さあ、私の投票した人は当選するのかな」と思ってテレビの前に座る視聴者は、政治の素人です。私は、その**プロと素人をつなぐ**かたちの番組にしたかったのです。

そうした考えのもと、「民主党を支持している日教組の組織率はどれくらいなのか」とか、「公明党と創価学会の関係はどうなっているのか」とかいうことをテレビでお話ししました。

私のコメントは、放送中からネット上で「池上がタブーを破った」とお褒めをいただきました。でも私はタブーを破ったという気はまったくありません。これらの話は政治の世界を生きるプロたちにとって、「当たり前」のことで、わざわざ放送するようなことではないと判断されてきただけなのです。選挙特番に出演するような人にとっては、「労働組合が民主党を応援していて、その中でも日教組が特に熱心だ」とか、「日本最大の宗教団体である創価学会が公明党を応援している」とか、「選挙事務所には、『必勝祈願』と書かれた紙が貼ってあるけれども、あれはすべてそれぞれの支援団体が作ったもの」とかいったことは常識だから、口に出さないだけなのです。

でもテレビを見ている人たちにとって、それは「常識」ではありません。だから「なぜ創価学会と公明党の関係についてテレビでは放送しないんだ。何かあるからではないか」と思われていました。そこで私が「みなさん、いかがですか。これらのことは多少はどこかで耳にはさんだことはあるけれども、詳しくは知らないでしょう」と言って、きちんと解説をした。そうしたら、新鮮な番組内容だと喜んでもらえた。これが真相です。もちろん私なりに辛口の味付けをしましたが。

基本的なことを解説しているだけでは、政治の本質的な問題にまで踏み込めないのではないか、と疑う人もいるかもしれません。でも面白いもので、**基本的な仕組みがわかると、政治の裏側が見えてきます。**

たとえば、選挙特番の中で、私はある有名柔道選手に、「参議院議員に当選したら、どの委員会に所属したいと思いますか」と質問しました。議員になると、それぞれ専門分野を持つようにという意味も込めて、党から必ずどこかの委員会に所属をするように言われます。もしその人が、本気で国会議員になって「ああいうことをしたい」「こういうことをしたい」と考えているのであれば、必ず事前に、どのような委員会があるのかを調べ、もし希望が通ったならば私はここで働きたいと心に決めていたはずです。

そういう意味で、私の質問は、とても基本的な質問であると同時に、「候補者がどこまで本気で国会議員になろうとしているかを試す」という今の政治の本質的な問題をえぐる質問でもあったのです。

その候補者からは、「1年生議員なので希望がかなうかどうかわかりませんが、文教委員会に所属をして、子どもたちの教育について考えたいと思います」といった答えは出てくることはなく、しどろもどろになってしまいました。こうして「ああ、この人は議員になった後のことは何も考えていないんだな。そしてそういう人が当選してしまうんだな」ということが視聴者にも伝わったと思います。

政治のプロの世界で常識になっていることを、素人の国民に向かって、「実はこんな仕組みになっているんです」と丁寧に説明する。そして視聴者のみなさんに、今の政治が直面する本質的な問題を考えてもらう。これが私の選挙特番でのスタンスでした。今回の本、『政治の学校』でも、同じスタンスを貫きたいと考えています。

池上彰の政治の学校　目次

特別授業・一

米国大統領選挙でわかる民主主義 —— 59

図版作成／二階堂ちはる

ホームルーム

日本の政治、どこがおかしい!?

政治の問題はここにあり――「票集め」と「幸せの青い鳥」

最初に結論を申し上げておきます。

社会保障制度が崩壊していると指摘されていながらいつまで経っても改善されず、財政は大赤字。景気もトンネルを抜ける気配がない……。このように日本政治がいくつもの問題を抱えていながら、一向に良くならないのは、強大な権力を持ちながら、私腹を肥やすことばかりを考えている悪い政治家が日本を牛耳っているからではありません。あるいは海外の何者かが、一般大衆には気がつかないところで日本が損をするように政治を操っているからというわけでもありません。

日本の政治がうまくいかないのは、政治家が「票集め」に走り、国民は「幸せの青い鳥」を追い求めているからです。

政治家が「票集め」に走ると何が起きてしまい、国民が「幸せの青い鳥」を追い求めると何がいけないのか。詳細については、この本一冊を通してゆっくりと解説していきますが、授業前のホームルームでは、まず「政治がダメになってしまう構造」についての簡単なメモ書きのようなものをお渡ししておきます。

政治家が「票集め」に走っているというのは、どういう状況なのか。

高知県知事だった橋本大二郎氏はこのような名セリフを言ったことがあります。

「次の選挙のことを考えれば、ゲートボール場をたくさん作ればいい。でも、県の今後の発展を考えれば、子どもたちのためにサッカー場を作ったほうがいい」

年金制度にしても、現在はあきらかに高齢者が得をする仕組みになっていますが、なかなか変えることができないでいます。その理由の一つは、年金の給付額を引き下げようとすると、高齢者から猛反対が起こるからです。高齢者は若者に比べて投票所へ足を運んでくれます。もし高齢者が自分に票を入れてくれなくなれば、次の選挙で自分の職が脅かされることになる。ですから、政治家としては、国のためを考えれば必要なことだったとしても、「高齢者への給付を引き下げます」などとは口が裂けても言えません。

こうして、**本当は「国」のために働くはずの政治家が、「自分に票を入れてくれる人」のために働く**ことになります。もちろんそれは民主主義の基本ではありますが、「投票に来ない」からといって若者を無視していては、いつか国が傾くことになります。

このような状況を食い止めるためにも、若者は選挙に行かなくてはいけません。選挙に行って、「若者のための政策を実行すれば、選挙でも票が集まる」ということを実証しなくてはいけません。

しかし、若者は、「ただでさえ団塊の世代と比べると半分しか人数のいない自分たちが多少投票したところで政治は変わらないよ。選挙なんて行っても仕方がない」と思っています。これは悪循環です。どこかで断ち切らないと大変なことになってしまいます。

橋下人気の理由

では、もう一つの理由、国民が「幸せの青い鳥」を追い求めているとはどういうことなのか。

もっともわかりやすい現象が、橋下徹大阪市長が大人気を獲得していることです。橋下氏を支持している人たちは、橋下氏の「なるべく国や府市に頼らず、自分たちでできることは自分たちでやる」という政策方針に必ずしも共感しているわけではありません。

なぜ彼らが橋下氏を応援するのかといえば、「橋下氏ならば、この停滞した日本の政治にメスを入れてくれるのではないか」と期待しているからです。後の章で詳しく解説しますが、橋下氏を応援する人の中には、所得の低い方も大勢います。きちんと政策の中身を吟味してみれば、この人たちは自分で自分の首を絞めていることになります。つまり、この人たちは「とにかく現在の状況が気に入らないので、誰でもいいから状況をひっくり返してくれる人」を支持しているのです。**「新しい人」「新しい政党」に期待をしては裏切られるということを、ひたすら続けている。**まさにメーテルリンクの『青い鳥』の中に出てくる、チルチルとミチルです。幸福の象徴である「青い鳥」を探し続けるのだけれど、見つからない。それは当然です。「青い鳥」などどこにもいないのですから。

政治家は偉くない

日本の国民が勘違いしていることがあります。それは、民主主義の国においては、政治家という偉い存在が国民を統治しているわけではないということです。政治家と国民、どちらが「偉い」のかといえば、当然、国民の方が偉い。私たち国民は、誰かを政治家にすることも、政治家を辞めさせることもできるのです。これが国民の特権です。だからこそ、政治家は「票集め」に必死になるわけです。

憲法にもこのことは書いてあります。**第41条「国権の最高機関は国会である」という条文の意味は、日本においては、私たち国民による選挙こそが権力の源泉であるということ**

です。最高裁判所でも内閣でもなく、国会こそが国権の最高機関である。それは、国民の選挙で選ばれた人の集まりだから、ということです。

民主党は「『官僚主導』から『政治主導』へ」ということを旗に掲げて政権交代に成功したわけですが、よく考えれば、「政治主導」が当たり前なのです。選挙で選ばれていない官僚と、選挙で選ばれた政治家では、持っている権力の大きさがまったく違います。

では、そのような権力の源泉たる私たちは、いったいどのように政治と関わっていけばいいのでしょうか。

難しく考えることはありません。「青い鳥」を追い求めるのではなくて、身近にいるただの鳥を「青い鳥」に育てるべく、政治に参加すればいいのです。つまり、選挙へ行って、投票をすればいいのです。選挙へ行くことで、政治意識が高まります。政策に振り回される受け身の態勢から抜け出し、政治哲学を持った市民として生きることができるのです。

参考になる例として、北欧にあるデンマークを挙げることができます。

北欧諸国は税金が高いことで知られていて、デンマークもその例外ではありません。しかし、確かに税金は高いのですが、半面、医療費や教育費がタダで年金も十分にもらえるので、デンマーク国民は安心して豊かに暮らしています。なぜこのような国ができたかというと、50年近くかけて、国民がそうなるように選挙で投票をしてきたからです。そして、システムができあがったあとも、きちんと運営されているかどうか、選挙を通して監視しています。ちなみにデンマークの選挙の投票率は近年80％を切ったことがないそうです。

政治家とは、われわれが納めた税金の使い道を決める人です。たくさん税金を払っている分、政治に対する関心はとても高いのです。デンマークの国作りをそのまま日本に当てはめるわけにはいかないにせよ、少なくとも、日本人も自分たちに合った国作りを、自分たちで行うべきでしょう。

この本では、そもそも「政治って何？」という基礎の基礎から、あなたが政治に参加するために必要な知識を丁寧に解説していきます。「今からでは遅い」ということはありません。政治を勉強して、私たち自身の手で日本政治の閉塞感を打ち破ろうではありませんか。

それではまずは、私たちが権力の源泉たりえている選挙について勉強することから始めましょう。

一限目

選挙

——小選挙区制で様変わり

選挙こそ民主主義の根幹です。国民が政治に参加するために自分たちの代表を選ぶ――それが選挙だからです。ホームルームでも述べたように、選挙へ行って、まず投票することが政治参加の第一歩になります。この章を読めば、きっとあなたも選挙へ行きたくなるはずです。まずは、選挙制度から見ていきましょう。

中選挙区制と小選挙区制、ここが違う

選挙制度によって、国の形は変わります。あるいは、国の形を決めるために、選挙制度があると言ってもいいでしょう。

たとえば、中選挙区制、小選挙区制という言葉を聞いたことがあると思います。かつて日本は「中選挙区制」を採用していましたが、「政治改革」の一環で1996年の総選挙から「小選挙区比例代表並立制」に変わりました。小選挙区制に変わった当初は選挙結果にもあまり変化は表れませんでしたが、実は中選挙区制を採るのか、小選挙区制を採るのかで、まったく違う国を作ることができます。それこそが民主党が政権交代を果たせた理由なのですが、そこまでいくには少し長い説明が必要になります。順番に見ていきましょ

う。

中選挙区制というのは、一つの選挙区から複数の政治家が当選する選挙の仕組みです。複数の当選者が出るということは、第一党所属の候補者だけでなく、第二党、第三党に所属する候補者も当選する可能性があります。すると、いくつもの政党が乱立する政治状況ができあがります。自民党政権時代の例を使って説明しましょう。たとえば、ある選挙区の定数が5人だとします。自民党公認の候補者が3人当選したとしても、残りの2議席を社会党公認の候補者が取ったり、公明党や共産党の候補者が割り込んだりすることもできました。これが全国的に起こると、いくつもの政党がそれなりの議席数を獲得することができます。

あるいは、自民党からの公認が得られなかった人が無所属として立候補して、独力で当選する可能性も十分考えられます。すると、自民党はその議員を「この人は実力がある」と認めて、後から自民党公認議員にするわけです（後から公認するので「追加公認」と言っていました）。

しかし、これですと、中選挙区制度では、どうしてもドラスティックな政権交代は起こりにくくなります。

一方の**小選挙区制というのは、一つの選挙区（中選挙区よりも範囲が狭い）で1人しか当選者が出ない仕組みです。**その選挙区でもっとも多くの票を獲得した候補者1人だけが当選する。いくら固定票を固めたとしても、2番目3番目では当選できません。すると何が起きるのか。ある政党に人気が集中していると（選挙では「○○党に風が吹いている」と表現することがあります）、簡単に多くの議席数を持つ政党を生み出すことができます。中選挙区制であれば、ある党に人気がどれほど集まったとしても、別の党は2番目や3番目、選挙区によっては5番目の票数を獲得できれば、当選者を国会に送り込むことができます。

しかし、小選挙区制では、ある党に人気が集中している場合、全国の選挙区でことごとく負けてしまい、2番目や3番目の票が無駄になります。こうして、それぞれの選挙区では、ほんの数千票、数万票が移動しているだけなのに、全国を見渡すと、政権交代が起きるような大きな動きになることがあるわけです。

だからこそ2009年の総選挙で民主党が地滑り的な勝利をおさめ、長らく続いた自民党政権があっさりと終わりを告げたのです。

見方を変えれば、この小選挙区制度は、政権交代が起きやすいようにわざわざ導入した選挙制度とも言えるのです。

小選挙区制の問題①——政党内での新陳代謝が起きにくい

ところが、小選挙区制度にもいくつか弊害があります。

まず、候補者の「新陳代謝」を起こすのが難しくなります。ある選挙区である候補者が一度当選したとします。するとその人が所属する政党としては、次の選挙もその人を優先して応援することになります。**選挙活動はどうしても「現職優先」になる。**定年制でも設けない限り、一度当選してしまうと落選するまで、ずっとその人が、そこの選挙区の候補者として戦うことになります。

仮に若くて力がある候補者がいたとしても、その政党の公認はもらえない。だからといって、その選挙区でもっとも多く票を集めなくてはいけないわけですから、無所属で出たところで、当選するわけがない。仕方がないので、彼・彼女らは、別の有力政党の門を叩くことになります。２００９年の衆院選で起きたのは、これでした。官僚を途中でやめた人や松下政経塾を卒業した人など、若くてそれなりの実力があるが、自民党からは公認をもらえない候補者がたくさん民主党に集まったのです。

こうして、民主党は政権交代を起こすことができました。けれども、今度は民主党の現職が選挙では優先されることになります。では、新人として選挙に出ようとする人たちはどうするか。今度は自民党の門を叩くことになるでしょう。あるいは、みんなの党や「大阪維新の会」などの新党も含めて、その時にもっとも勢いのある党に行くはずです。

つまり、**小選挙区制というのは、各政党が党の中で人材の新陳代謝をさせにくい選挙制度**なのです。本来ならば、党の中で、より実力のある人が議員になり、同時に若い人を育てる仕組みを作らなくてはいけません。しかし、とにもかくにも現職を優先せざるを得ない小選挙区制度では、それがやりにくい。

一方、中選挙区制を振り返って考えると、自民党には期せずして常に新陳代謝が起きていました。一つの選挙区から複数の当選者が出るという仕組みをうまく使って、若い人が古い人を蹴落とす。そういう形で新陳代謝が起きていたのです。

小選挙区制になった結果、党内で議員の新陳代謝が起きなくなり、いわば澱《よど》んでしまいました。事実、自民党から民主党へ政権交代が起きたように、政権交代は起きやすくなります。けれども、それぞれの党がよほど自助努力をしない限り、新陳代謝が起きにくい。小選挙区制には、そのような副作用があることを覚えておいてください。

小選挙区制の問題②——国会議員が小粒に⁉

さらに小選挙区制の問題点を挙げると、「国会議員が小粒になる」とも指摘されています。

小選挙区制の選挙区は中選挙区制の選挙区に比べると、はるかに狭い場合がほとんどです。ですから、小選挙区から当選した国会議員は、極端に言えば、その小さな選挙区からの支持しか得られていないということになります。政治家というのは、自分に票を入れてくれた人が有利になるように政治を進めるものです。ということは、**中選挙区制のときに比べて、非常に狭い範囲の利益しか考えなくなり、国会議員の粒が小さくなる**のでは、というわけです。

これは日本だけの問題ではありません。たとえば、アメリカの衆議院である下院も小選挙区制を採用していますから、下院議員の中には、自分の選挙区のことしか考えていない粒の小さな人がたくさんいます。一方、日本の参議院議員にあたる上院議員は、それぞれの州から2人ずつ選出する方式（任期は6年で2年ごとに3分の1ずつ代えていく）を採用しています。すると州全体から選ばれているので、下院議員よりも視野が広い人が多い。

ですから、連邦裁判所の判事や、アメリカの中央銀行であるＦＲＢ（連邦準備制度理事会）の議長を承認するなど、実際にアメリカ全体のことを考える権限は上院に与えられています。

大統領選挙に出るのも、ほとんど州知事か上院議員です。オバマ現大統領もイリノイ州の上院議員から連邦議会の上院議員になりました。

国会議員はどうしても自分の選挙区のことしか考えられない。これは、洋の東西を問わず、どこの国でも同じなのです。

小選挙区制の問題③――チルドレン政治の元凶

小選挙区制の問題についていくつか紹介してきました。最後に、小選挙区制の最大の問題について解説します。**小選挙区制の最大の問題とは、本来は政治家として選挙に当選するだけの力がないのに、単に所属政党の人気によって当選してしまう「チルドレン政治家」を生み出してしまうことです。**

たとえば、与党が何らかの政治的な失態を犯したとします。すると、全国の選挙区で一斉に、「与党議員を落として、野党議員を当選させよう」という動きが起きるかもしれません。すると、支持率がほんの少し移動するだけで、オセロゲームのようにパタパタパタと当選者が入れ替わる。それによって政権が代わります。ここまではすでに説明しました。問題は、「風」の吹いている政党が、きちんとした候補を育て切れないところにあります。小選挙区制では、「風」が吹くと、全国のあらゆる選挙区で「勝つ」可能性が高まります。ですから政党としては、とにかく候補者を立てておきたい。しかし、急に候補者を育てることはできません。そこで、「誰でもいいから、公募に応募してきた奴の中から、見栄えのいいのをとりあえず立てておけ」ということになりがちです。

党が候補者を政治家としてきちんと育てる前に、人数合わせのために大勢の若手を立候補させてしまうわけです。そして、その人たちがブームによってみんな当選してしまう。それが、いわゆる「チルドレン現象」です。

すべての選挙区に候補者を立てるという作戦が初めて使われたのは、小泉純一郎氏の郵政民営化選挙でした。それからは、小選挙区はともかく、「比例代表」の名簿にも候補者が足りない場合は、新人候補の名前を入れるのが当然になってしまいました。「小選挙区比例代表並立制」のうちの「比例代表制」という制度は、個人に投じられた票ではなく、政党に投じられた得票数によって、政党が得た議席を与えられて当選する仕組みです。

小選挙区で出馬する人は、いくら経験がないとはいっても、すべてをなげうって立候補するわけですから、少なくとも覚悟だけは決まっています。けれども、比例代表の名簿に名前を貸すような人は、ちょっと違います。何しろ選挙運動をろくにしなくても自動的に国会議員になれてしまうのですから。すると、当選した後に、「国会議員になると2000万円ももらえるんだ。グリーン車に乗れるんだ。わーい」と喜ぶような国会議員ができてしまう。

民主党の場合も、政権交代の際に、「小沢チルドレン」がたくさん出てしまいました。小沢一郎氏が日本中から引っ張ってきた候補者が、政治家としての力をつける前に、ことごとく当選してしまった。柔道ではオリンピックで金メダルを取れたかもしれないけど、政治にはまったく不案内といった人たちが、国会へ足を踏み入れることを許してしまうことになりました。

小泉自民党も鳩山民主党も、慌てて「チルドレン」たちに政治家としてのイロハのイから教えようとしました。「国会にはきちんと出席しましょう」というような、驚くほど低いレベルから教育を始めていました。

もし日本が小選挙区制をこれからも続けるのなら、小選挙区に対応した政治家教育の仕組みを作ることが必須になります。イギリスのように、期待の若手議員を、わざと厳しい選挙区に送り込んで育てていくのも一つの手でしょう。あるいは、大阪維新の会が実践しているように、政治塾を作っておき、最低限の教育をしておくのもいいかもしれません。

このような政治塾に集まってくるのは、当然ながら「選挙に出たい人」です。ここに応募しておけば、次の選挙のときに公認をもらえる可能性が高いから集まってくる。実際、大阪維新の会の政治塾には、多くの地方議会議員が応募しました。今後、国政選挙に出るときに、大阪維新の会から公認がもらいたい。あるいは、県議会や市議会レベルでも、「私は維新の会です」と名乗れば、次の選挙で勝てるのではないかと考えて、応募しているわけです。それもどうかとは思いますが。

でも、政治を勉強しようと考える人が増えるのはいいことです。「政治家になりたい」と考える人がもっとたくさん出てきて、厳しい淘汰が行われながらほんの一握りの人だけが政治家になれる――そうした状態のほうが健全です。

政治と金、選挙にはお金がかかる

「政治と金」は、国民の関心を呼ぶテーマです。週刊誌や昼の情報番組を見ていると、ひとたび違法献金の情報でも出れば、政策よりもずっと細かく報道されることになります。

では、実際のところ、選挙活動や政治運動には、どのくらいお金がかかるものなのでしょうか。

一言で言って、思いのほかお金がかかります。まず、選挙の際には、「供託金」というものが必要になります。選挙に出る人は、衆議院議員選挙、参議院議員選挙ともに300万円を法務局に預けなくてはいけません。衆議院の場合は有効投票総数の10分の1以上、参議院の場合は有効投票総数を議員定数で割った数の8分の1以上の票数を獲得できれば、そのお金は返してもらえます。しかし、獲得票数がこの基準に達しなかった場合は、没収となります。ちなみに没収された供託金は国庫に組み込まれます。

なぜ、このような供託金制度ができたのか。候補者の売名行為を避けるためです。国政選挙に出馬すれば、全国的に注目されます。本気で議員になる気はないけれども、名前を売りたいという人を排除するために、供託金制度は作られています。ただ明らかに国会議員になれそうもない資産家が、選挙があるたびに名を連ねているのを見ると、その効果のほどには疑問符がつきますが。

選挙で必要なお金は供託金だけではありません。このほかにも、選挙を手伝ってくれる事務員の人件費、ポスターや選挙カーなどの広告費、ボールペンや紙などの事務費、選挙事務所の賃貸料などさまざまな費用を支払わなくてはいけません。選挙運動費については、国や自治体からの助成金、そして国が政党に支払う政党助成金からの分配金などを候補者はもらうことができます。ただ、それではとても足りないのが現実です。

晴れて議員になれてもお金がかかります。国民から選挙で選ばれた者である以上、「私は国会でこのような仕事をしてきました」ということを有権者に伝えなくてはいけません。これはとても大事な仕事です。そうした国会報告会をしようと思えば、告知用のポスターを作ったり、会場費を払ったり、交通整理の人を雇ったり……といったことにいちいちお金がかかります。また支持者に対して報告のパンフレットを作ったとして、自宅まで郵送すると、1つにつき80円はかかります。これを1万人に送れば、それだけでもう80万円にもなる。メール便を使っていくらか安くする方法はあるとしても、この国会報告を年に何回か行うだけで、数百万円のお金がかかる。もちろん今はネットが普及していますから、ネットをもっと活用していかなければいけませんが、とにかくお金がある程度かかることは、間違いありません。

政治献金は是か非か

これは諸外国の場合も同じです。「私腹を肥やそう」といったことをまったく考えずに、とにかく真面目に選挙運動、政治活動をしたとしたら、それだけでけっこうなお金がかかるのです。

それは、補助金や国会議員の給料だけではとても賄いきれない金額になります。政治家自身が資産家であれば、私費を投入するのもいいでしょうが、資産家でない場合はどうするのか。そこで「政治献金」というものが必要になります。

アメリカでは最近、「少額個人献金」が流行しています。政治家のホームページにアクセスすると、必ず「寄付をする」というボタンがついています。そこをクリックして、クレジットカードで献金をしてもらうわけです。特定の人から多額のお金をもらえば、その人のために何か便宜を図るのだろうかという話になります。しかし、一人一人はわずかなお金かもしれませんが、全米中の人から寄付をしてもらえば、全体としては大きな金額になります。これは良い方法だと思います。多くの有権者が少額ずつであっても政治献金をすれば、「お金を渡したのだから、ちゃんと仕事してよ」とその政治家の仕事をチェックするようになります。こうして多様な人からのチェックが入ることになるし、結果的に国民の政治に対する参加意識を高めることにもなります。

一方、企業の政治献金には難しい問題がついてまわります。企業というのは自社の利益になる行動をするわけですから、政治家に献金する場合も、自分の企業に都合のいい政策を取ってもらおうと考えて献金をするわけです。でもこれがあからさまに行われれば、それは汚職ですね。贈収賄事件に発展してしまいます。

だからといって、企業が「いや、うちの企業は利益なんて考えていません。とにかく政治をより良くしてもらおうと思って献金しているんです」などと言うと、今度は株主に対して説明するのが難しくなります。「貴重な企業のお金を、何の利益も生み出さないものに使うのは、いかがなものか」と経営者が背任に問われかねません。会社のためになると考えて政治家にお金を渡したのならわかる。けれども、会社の利益を度外視しての献金は企業行動として合理的ではないので認められない。そのように株主は考えるはずです。こう考えていくと、「企業による政治献金」というのは、そもそもあり得ないのではないか、という見解まで出てきます。

実はこの見解は決して突飛なものではありません。ノーベル経済学賞を受賞したアメリカの経済学者ミルトン・フリードマンは、「企業はメセナ活動（企業が出資して文化・芸術活動を支援すること）などすべきではない」とまで言っていました。私自身はこの考え方に賛同するわけではありませんが、「企業は利益を追求すべきものであって、企業の利益にならないことをするのは、株主に対する裏切りである。企業は利益を出して株主に配当金を払う努力をする。配当が払われれば株主がそれぞれの考え方でメセナ活動をする。それでいいんだ」という考え方は、とても明快です。

ただ実際にはメセナ活動をすることで、「あの企業は社会的・文化的なことにも協力していて応援したくなるね」ということになり、企業イメージが高まるので、それほど単純にメセナ活動を切り捨てるのもいかがなものかとも思います。

しかし、たとえ直接的でなくても、政治家に金を出すことが回り回ってその企業のためになるとしましょう。果たしてそれは倫理的に許されるのかどうか、グレーな境界になります。

自民党時代の「派閥」とカネ――派閥の形成にはお金がかかった

ここまでが、政治家が自分自身の活動のために使うお金の話です。選挙活動や国会報告会では、数千万円レベルのお金で足りるかもしれませんが、なぜ政治家の汚職というと数億円にも達するのか。あのお金は何に使っているのでしょうか。

自民党の長期政権時代、政治家が、特に有力政治家が多額のお金を必要としたのは、派閥を維持するためでした。いわゆる中選挙区制では、必ず派閥が生まれます。一つの政党から複数の候補者が当選しますが、彼らは選挙区ではライバル。当選しても仲が悪く、一緒に行動したがらないので、別々のグループに分かれます。これが派閥です。派閥というのは、ボスを総理大臣にしようという集まりでもありますから、ボスからすると「自分のために頑張ってくれる人たちには、面倒を見ましょう」ということになる。それで、田中派であれ、福田派であれ、選挙資金の工面や政治活動資金の工面などを、派閥の長が一手に引き受けていました。新人や経験の浅い政治家は、お金を集めることができませんから援助してあげていたというわけです。

かつての自民党で派閥に所属していると、暮れになると必ず派閥からお金が出ました。「餅代」といって、1人当たり100万〜200万円ものお金が払われていました。お盆にはお盆でまたお金が出る。もし派閥に100人の議員がいたとして、100人に毎年2回100万円ずつ配ったとしていくらのお金が必要か計算してみてください。だから昔の有力政治家たちは、年間に数十億ものお金を必要としていたのです。

しかし、今は小選挙区制になって、派閥の力が弱くなりました。有力政治家であっても自分の派閥に属する議員にお金を配るということは減ってきました。かつて田中角栄が行っていたような「金権政治」は、小選挙区制を続ける限り復活することはないでしょう。

若者よ、投票へ行こう

日本の政治の問題として、若い人を中心に日本人が選挙に興味を示さなくなり、このところ投票率が下がっているという事実があります。これは民主主義の根幹を揺るがす由々しき事態です。

では、日本人に選挙に興味を持ってもらうには、どのような方策があるのか。

アメリカの学校では、授業でさまざまな実際の政策を披露しながら、どれがいいかを決めるために「模擬投票」まで行うことがありますが、同じように日本でも、小学校や中学校から、社会科の時間などを利用して政治教育をする必要があるという話が出ています。

ただ、日本の学校で政治教育をするのは簡単ではありません。たとえば、衆議院議員選挙に合わせて、「さあ模擬投票をしてみよう。みんな、どの政策がいいと思うかな。今の立候補の中で誰がいいと思う？　考えてみよう、実際に投票してみよう」などという授業をすれば、すぐにマスコミが、「学校の先生がそんなに政治的なことをやっていいのか」といったネガティブな報道をするはずです。父母の中には、学校や教育委員会に文句を言いにいく人も出てくるでしょう。

だから、学校の先生はうっかりしたことは言えません。とにかく教科書に書いてある一般論として選挙の仕組みの話しかできない。それでお茶を濁して先へ進む。こうして政治に関する本当にしなくてはならない教育が行われていないのです。いわゆる「関心を持たせる」ような教育ができないわけです。

実は、私が若者の投票率を上げる秘策として考えているのは、二つあります。一つは、今解説したように小学生、中学生の頃から、「模擬投票」など、政治に興味を持たせるような授業をすること。そしてもう一つが、選挙権を与える年齢を引き下げることです。

たとえば、18歳から選挙権が与えられるようになったとします。すると高校生のときから選挙権を持つことになるわけです。高校生であれば、まだ純情ですから、「選挙に行かなければいけないよね」と言われれば、とりあえず投票に行く人も多いと思います。そこで政治に興味を持ってもらえれば、大きな動きにつながる可能性がある。

ところが20歳になると、すでに就職していたり大学へ行ったりしていて、まず時間がありません。それに、地方から都会の大学へ進学している人も多いでしょう。自分の地元であれば、どのような問題があり、どのような候補者がいるのか、わずかながらでも耳に入れたことがあるかもしれませんが、東京に出てきたばかりでは、候補者も知らないし、何が問題なのかわかりません。結局、関心も持たないし、投票にも行かないということになってしまいます。

そうして何年も行かなくなると、「選挙に行かない癖」がついてしまいます。あるいは、行ったとしてもどうしていいのかわからないから、怖くて行けないという人も出てきます。

高校生のときに、とにかく自分が生まれ育ったところで一度でも投票をしておけば、少なくとも選挙で票を入れるときに何をすればいいのかわかるようになります。それに18歳から政策について自分の考えを持つようになれば、精神的にも成長するようになるでしょう。政府も18歳から選挙権を付与する方針を打ち出しましたが、いつまで経っても実現する気配がありません。

「一票の格差」とは何か

選挙の仕組みを考える上で避けて通れないのが、**「一票の格差」**問題です。

つまり**有権者の1票の価値に差が出てきてしまう**という問題です。極端な例を挙げると、A選挙区では1万人の有権者あたりに1人の当選者が出るのに、別のB選挙区では、2万人の有権者あたりに1人の当選者が出るとします。すると、AとBでは1票の価値が2倍も違うということになります。Aの選挙区にいる有権者の1票のほうが、Bの選挙区にいる有権者の1票よりも価値が2倍もあるということになる。有権者の持つ1票の価値が違うということは、民主主義の基本を揺るがす大問題です。

ところが、この1票の格差問題の是正は遅々として進んでいません。なぜなのでしょうか。

自民党というのは基本的に農村部、地方を代表する党で、議員の多くは地方選出議員でした。だから都市部の人口が増えても選挙制度をいじりたくないのです。人口が多いところからはたくさんの国会議員が生まれるべきだし、人口が少なくなれば本来ならそこから選出される国会議員も少なくならなくてはいけません。けれども、自民党はそれをしたくない。選挙区改正を渋っているうちに、**人口の少ない農村地帯、地方からの議員が多く選ばれることになり、「一票の格差」が広がる構造になっていった**のです。

現在の参議院で言えば、47都道府県にまず1議席を割り当ててから、残りの議席を配分する方法を採っています。これをしてしまうから、結果的に格差が出ます。島根や鳥取のように人口が少ない県からも、必ず1人ずつ議員を選出させるようにするので、どうしても「一票の格差」が出てしまうのです。

「一票の格差」を解消することだけを考えれば、たとえば、島根と鳥取の2県合わせて参議院議員は1人という風に決めればいいのですが、この問題が単純ではないのは、そうしてしまうと島根と鳥取に住む人にとって困った話になる可能性が出てきてしまうことです。まず、島根と鳥取は決して仲が良いわけではないので、どちらから出すのかでもめるでしょう。また、人口比で公平にしたとしても、文化圏が違えば、どちら側の文化圏出身の議員なのかは大きな問題になります。

また、議員側にとっても、自分にとって不利になるかもしれない改革は、やはりやりたがらない。ここの選挙区は当選者の数を増やしましょうということならば喜ぶでしょうが、この選挙区の人数は減らしましょうと言われたら、それはもう大反対します。

「一票の格差」を本気で解消するのであれば、発言力の大変強い第三者委員会を作って、ある程度、強引に引っ張っていかないと難しいと思います。

老人と若者の格差

このような「一票の格差」は、都市と地方の問題にとどまりません。

農村部から選ばれた議員が多いということはどういうことを意味するのでしょうか。農村部に住んでいるのは高齢者が多いわけですから、高齢者の支持を受けて選ばれた議員が本来の人口割合で選ばれるよりも多いということになります。

政治家は議員になったあとは、自分に投票してくれた人のために働きます。つまり、この場合は高齢者のために働く議員が相対的に多くなるわけです。いくら若者の雇用を何とかしなくてはならない、若い人が子どもを産みやすい環境を作らなくてはならない、といったところで、若い人たちは投票してくれないわけですから、政治家としてはどうしても政策実現の優先順位が下がります。

年金制度にしても、現在は明らかに高齢者が得をする仕組みになっていますが、国会議員が高齢者の支持を受けているわけですから、なかなか変えられません。高齢者に今支払われている年金の給付額を引き下げようなどとすると、間違いなく猛反対が起きますからね。次の選挙で自分の職が脅かされますから、政治家としては高齢者への給付を引き下げようなどとは口が裂けても言えません。

結局、政治家にとって若者のことは二の次三の次の問題なのです。若者たちは投票に来ないわけですから。もし、政治家が若者たちの票によって当選できると思えば、政治的にも一気に若者のために改革が進むはずです。

しかし、今は、政治家からすると若者は投票に来ないから若者相手には仕事をしても仕方がないと思っています。一方の若者は、自分たちが投票したところで政治は変わらないので、行っても仕方がないと思っている。これは悪循環です。どこかで断ち切らないと未来はありません。

子ども手当に意味はあったのか

そういう意味で、「子ども手当」は画期的な政策でした。

子育て真っ最中の若い親たちは、これまではなかなか投票に行かない世代とされてきました。しかし、この「子ども手当」政策を民主党が打ち出したことによって、明らかにこれまで政治に関心の薄かった若いお母さんたちが投票所に足を運ぶようになりました。

それはそうです。子ども手当は2010年度に始まりましたが、当初は中学校修了までの子ども1人につき「月1万3000円」が支給されました。年間にすると、約15万円にもなります。若い世帯にとってはかなりの収入増、と言っていいでしょう。しかし、財政難などで子ども手当は行き詰まり、結局、11年度の途中から、「0歳～3歳未満は一律月1万5000円」「3歳から小学校修了前の第1子と第2子は月1万円」などとなり、それまでよりは減額となる家庭が出てきました。

こうして、民主党は「公約通りにもらえなかった」という全国のお母さんたちから怒りを買うことになるわけですが、とにかく彼女たちを投票所まで引っ張ってきたことだけは、大きな前進だったと思います。

また、子ども手当に関して言うと、日本の経済にとって本当に意味があるかどうかでも議論になりました。これについては、批判も多かったのですが、実は経済的にも大きな意味があるのです。

ちょっと古い話ですが、かつて似たような政策に1999年に国民に配られた「地域振興券」(15歳以下の子ども〈1983年1月2日以降生まれ〉のいる世帯主や老齢福祉年金などの受給者に2万円ずつ配布された商品券の一種)というものがあったのを覚えているでしょうか。自民党と公明党の連立政権が、景気浮揚のために打ち出した政策ですが、これは経済的にまったく意味がありませんでした。

なぜかと言えば、1回限りの給付だったからです。1回限りのものであれば、多少お金が入ったとしても使わないで預金する人が増えてしまいます。仮に使うとしても、本来買うつもりだったものを地域振興券を使って買うだけです。地域振興券がなくても使うつもりだったお金は預金に回してしまいました。

経済学的に言えば、継続的にお金がもらえるという安心感があればこそ、人はお金を使うのです。子ども手当も、これが恒久的な制度として確立されれば、かなり大きな経済効果が期待できたでしょう。

ところが、詳しいことは省きますが、自民党の反対によって、毎年毎年、子ども手当を出すかどうか審議をする制度になってしまいました。すると、今年は出たけど、来年は出るかどうかわからないという話になり、「それなら預金をしておいたほうがいいか」ということになってしまいます。

しかし、それでもこの**「子ども手当」が導入されたことにより、国民はかなり多くのお金を使い、経済効果はあったという試算が出ています。これがもし、恒久的な制度になっていれば、もっとインパクトがあったはずです。**「子ども手当」への反対は、自民党と公明党が民主党の評判を落とすためのものだったのでしょう。「政策」ではなくて、「政局」での行動でした。

民主党の「本気で若い世代のことを考える」というのは、画期的なことだったのです。目先の票を考えれば、子ども手当を出すより、公共交通機関の老人パスを充実させたほうがよほどいいわけですから。でもわざわざ厳しい道に足を踏み入れた。そこは評価しなくてはいけないと思います。

少し冷静になって国のことを考えれば、「出生率が低くなっている」ということが大変な事態だというのは誰にでも理解できるはずです。現役世代が少なくなれば、年金制度を維持するのが難しくなるだけでなく、そもそも税収が減るわけですから、あらゆる国の政策に支障をきたします。国としては若い世代を守りたてて、子どもを産み育ててもらったほうがいいに決まっています。

かつて日本と同じように出生率が低かったフランスを見ても、手厚い子ども手当を導入することによって出生率が回復しました。精神論ではなく、お金の面でも育児支援の面でも安心して子どもを産むことができる仕組みを、一刻も早く作らなくてはいけません。安心して子どもを産むことができて、安心して育てることができる。そのためのお金を国がきちんと保証できればいいわけです。

投票率と社会保障の関係

ホームルームで軽く触れましたが、デンマークのケースをここで詳しく見ていきましょう。

デンマークには、付加価値税という間接税があります。日本の消費税と同じものです。日本では5％の消費税を8％や10％に増やすだけで大騒ぎですが、デンマークの付加価値税は何と25％です。しかも食料品に対する軽減措置もありません。何を買っても、すべて一律に25％の付加価値税、つまり消費税がかかります。

でも国民は納得しています。高い税金を払うかわりに、医療費は無料、教育費も無料だからです。日本では多くの人が「老後が心配だ」と言っていますね。高齢者が何をそんなに心配しているのかというと、年金はそこそこもらえるとしても、年をとって病気になったときに医療費が払えないのではないかという心配です。そこで預貯金をしているわけです。

しかし、デンマークではそういう心配は一切無用です。そもそも年をとって病気になっても医療費がかからないのですから、心配する必要がありません。それでいて、年金制度も充実しています。

要するに、デンマークは、老後のために現役の時に預貯金をしておく必要がまったくない仕組みを作り上げたのです。幼稚園から大学までの教育費も無料ですから、子育ての心配もありません。ですから、稼いだお金はどんどん使うことができる。すると経済も活性化します。

少し乱暴な言い方かもしれませんが、デンマークでは税金を払うということは、つまるところ国に貯金をしているようなものなのです。払った分が自分に返ってくることがわかっていれば、文句は出ません。一方、自分が払った分が無駄遣いに消えているのではないか、特定の誰かの私腹を肥やしているのではないか、と疑われると不満が噴出します。

デンマークではこのような国の仕組みをとっているため、結果的に選挙では高い投票率につながっています。何しろ近年、投票率が80%を切ったことがありません。これだけたくさんの税金を払っているのだから、その税金の使い道をしっかりした人に決めてほしいという思いが強いからこそなのでしょう。

政治家とは何をする人なのかをとことん突き詰めて考えると、「私たち国民が納めた税

金の使い道を決める人」ということになります。そうした仕事ができる能力もあり、誠実な人間を選ぶのが選挙なのです。たくさん税金を払っている分、変な人に政治家をしてほしくない。だからこそデンマークでは政治に対する関心も高いわけです。

国民に安心をもたらす政治。これは「良い政治とは何か」という問いへの一つの答えと言えるでしょう。

もちろん、いきなり「デンマークのような国を作ろう」というのは、無理でしょう。デンマークも、1960年代から少しずつ消費税を上げ、国民の理解を勝ち取ってここまで来たからです。デンマーク式の仕組みが良いと思ったところで、「それでは来年から消費税を25％にします」という話は通りません。

国の仕組みを作るということは、そんなに簡単な問題ではありません。それをわかった上で、国の大原則は何かを考えるのです。たとえば、「安心して子育てができて、安心して老後を暮らせる国を作る」ということで国民的な合意が得られたのなら、教育費を無料にしたり、子ども手当を出したり、医療費を無料にしたり、年金を充実させたり……といった政策を実現していけばいい。もちろん税収と相談しながら考えることが大切です。

ただし税収には限りがありますから、政策実現のために増税という選択をしなければならない場合は、「増税した結果、ここがこれくらい良くなる」という見通しをはっきりさせることが大切になります。**国民が増税を嫌がるのは、自分の負担増のことだけを考えているのではありません。その税金がどこに使われるかがはっきりしないからです。**

国民の多くは、今のままの税収では、社会保障を維持できないということは理解していると思います。消費税を上げなくてはならないことはわかっているのですが、「消費税を上げた結果、私たちの生活がどうなるかを説明してください。それくらいはできるでしょう」と政治家に言っているだけなのです。

政治家は特別な存在ではない

ヨーロッパでもアメリカでも、政治家というのは特別な存在ではありません。自分たちの仲間の中から、「こいつはすごい奴だから、応援して政治家になってもらおうぜ」というくらいの感覚で選挙に出している人たちが多いのです。

しかし、日本はそうではありません。まず日本では、どこかの会社に勤めている人が「次の選挙に出ます」などと言い出せば、「変わった人だな」と思われるのがオチです。

それは、選挙に出ることのリスクが大変高いからです。実際のところ、普通のサラリーマンは選挙に出ることができません。選挙に落ちてしまえば、もう元の職場には戻れないからです。普通のサラリーマンが一生分の生活費を貯めてから選挙に出るというのは現実的ではありませんよね。

だから、政治家のリストを見てみてください。二世議員か弁護士、あるいは自営業者という人たちがとても多い。県議会などの地方議会に立候補する人には、建設業の経営者が大勢います。当選すれば、会社は社員に任せて自分は議会に出られますし、落ちれば元の通り経営をすればいいだけです。さらに、選挙運動は社員を使って行うことができます。

これは当選しやすい仕組みですよね。当選すれば議会で何をするかといえば、お金の使い道を決めることになる。そうなると、自分の会社に利益が回るように、公共事業にお金を使え、という話になるのが普通でしょう。

ふと気がつくと、全国の都道府県議会議員の多くが建設業関係者で占められていることになっていました。これでは、民主党が「コンクリートから人へ」といくら口で言っても変わりません。

アメリカやイギリスでは、会社員が選挙に出ても、もし選挙に落ちればまた会社に戻ってくるのが当然とされています。

「やり直し」ができるという仕組みが大切なのです。日本の場合は、とにかく「やり直し」ができにくい社会になっています。会社を倒産させるとやり直しができないと言われますが、選挙に出ることも同じです。「やり直しができないことを、それでも思いきってやれ」というのでは、ハードルが高過ぎます。ですから、選挙に出るというと、「変わった人」ということになってしまうのです。ごく普通のサラリーマンやOLの代表が選挙に出て、落ちればまた会社に戻ってきて……ということを普通にしなければなりません。

そう考えると、民間企業も国のためにできることがあるはずです。

農村票というのはあるの？

最後に「固定票」の話をしておきましょう。

選挙には、「固定票」があります。たとえば、自民党は、農村部で暮らす人たちから多くの支持を受けてきました。要するに農協に入っている人たちです。ただ専業農家の数は、実はすごく少ない。ですから、いわゆる「農民票」だけであれば、基礎票としてはかなり心細いものになってしまいます。けれども、農協関係者や、いわゆる農業関連団体、農村用のゼネコン（農民たちは農繁期には農業をするけれども、農閑期には公共事業の作業員として働くことがあります）なども全部含めて、**広い意味での「農村票」が、自民党にとっての基礎票の一つになってきました。**

もう一つ有名なのは「**医師会票**」。つまり、開業医の人たちの票です。これもお医者さんたちだけでは大した数になりません。

昔のお医者さんなら、それぞれの地域で有力者だったのでいつもお世話になっていて地域でも尊敬されているお医者さんから、「次の選挙、この人よろしくね」と言われると、地域の人はみんなその人に入れるということがありました。病院の待合室に行くと自民党議員のポスターが堂々と張ってあったりして、「あ、次の選挙ではこの人に入れればいいんだな」とみんながわかるほど強い影響力がありました。けれども最近は、主治医に頼まれたからと言って、その人に投票する人は減っていますね。

一方の**民主党の固定票で言えば、昔の社会党の流れをくんで労働組合の票がやはり圧倒的**です。しかも大企業の労組専従役員ともなると、労働組合活動に専業で取り組んでいますので、選挙になれば全面的に手伝ってくれます。これは政治家にとってみればかなり効率的です。つまり、アメリカやイギリスではボランティアがやるような仕事を、日本では、労働組合員がやってくれるのです。自民党の候補者の場合は、建設業者の社員が給料をもらいながら選挙を手伝うわけです。

公明党の基礎票

こうした固定票の話をするときに絶対に外せないのが、公明党の基礎票です。これは宗教団体である創価学会が、選挙活動から票固めまですべて手弁当で行います。これもある意味では、諸外国の選挙ボランティアに近いと言えます。

票の数で言えば、そんなに多くはありませんが、決して他党に流れることがない。きわめて堅い基礎票を公明党は持っているのです。

建前として政教分離とは謳っていますが、現実に創価学会の人たちが一生懸命に選挙活動をしてくれて、そのために当選しているわけですから、公明党の議員は創価学会の言うことに耳を傾けます。

では、創価学会と宗教的に対立している他の宗教団体はどうしているのかご存知ですか。たとえば、立正佼成会などは、「反公明党」ということで、民主党の応援をしたり、自民党の応援をしたりしています。

日本全国を探すと、そうした宗教組織はたくさんあります。ですから、自民党や民主党の政治家たちは、選挙の前になると、奥さんをさまざまな宗教団体のにわか信者にしたり、宗教団体の本部に数珠を持っていったりして、関係を深めて基礎票にしようとしたりもします。

政治と宗教というのは、実に不思議なつながりがあるのです。

浄土宗や浄土真宗といったいわゆる伝統的な宗教組織は、政治に関与することはありませんが、立正佼成会や生長の家などいわゆる新興宗教といわれる組織、あるいは神社系は自民党の支持母体であることが多いのです。

このような宗教団体のなかでも、とりわけ真剣に選挙活動をして、大きな票数をたたき出すのが創価学会なのです。

特別授業・一

米国大統領選挙でわかる民主主義

一限目の「選挙」はいかがでしたか。このあと、政治家の集団である「政党」（二限目）、政党が政治活動を行う「国権の最高機関」である「国会」（三限目）を見ていきますが、その前に特別授業として米国の大統領選挙について詳しく知っておきましょう。2012年の大統領選挙は現職大統領の民主党・オバマ氏と共和党・ロムニー氏の一騎打ちになっています。私は年初から米国を何度も訪れ、大統領選を取材してきました。そしてわかったことは、有力政治家たちが現実に繰り広げる激しい選挙戦もさることながら、大統領選の成り立ちや仕組みを詳しく勉強すると、民主主義の原理原則が理解できるようになる、ということでした。とにかく私自身が民主主義の原点に触れる感動を、取材を通して何回も体験しました。そんな思いを皆さんにも味わっていただきましょう。

アメリカ大統領選挙も実は間接選挙!?

日本では、国民が国会議員を選び、国会議員が総理大臣を選ぶ。いわゆる間接選挙で国のトップを選んでいる。一方、アメリカは大統領を国民が直接選んでいる――。どうもこのように思っている人が多いように思います。

確かにアメリカの大統領選挙は「直接選挙」と言われています。しかし、実際には、アメリカ国民も大統領に「直接」票を投じているわけではありません。アメリカ人は大統領選において、直接大統領を選んでいるのではなく、実は大統領選挙人、つまり**「大統領を選ぶ人」を選んでいます**。その意味ではアメリカの大統領選挙は、間接選挙ということになります。

ではなぜアメリカの大統領選挙は「直接選挙」と言われるのか。

ここでは、アメリカの大統領選挙を詳しく見ていくことで、日本との違いを確認しましょう。

アメリカというのは新しい国ですが、一方で歴史的な経緯を非常に大事にする国です。アメリカという国が作られた当時、読み書きのできない人が大勢いました。そこで当時の為政者たちは、「残念だが今の国民には大統領を直接選ぶだけの政治的な見識はないだろう。それなら一般の国民に代わって見識のある人たちに大統領を選んでもらうことにしよう」と考えました。その結果、見識ある選挙人たちを選んで、その人たちが馬車で集まっておもむろに大統領を選ぶ……といった形が取られることになりました。

今大統領選挙人は、当時の「見識ある選挙人」と同じです。そう、実は240年経った今でも、アメリカでは建国当時と同じ形式で大統領選挙が行われているのです。

では、まず各党が大統領候補者を選ぶ「予備選挙」から順に見ていきましょう。

1年にもわたる長丁場

アメリカは、いわゆる二大政党制の国です。民主党と共和党が、与党と野党に分かれてお互いにおかしな国家運営をしていないかチェックをしています。

しかしアメリカには、この二つの政党以外にも実はたくさんの政党があります。その中で10万人以上の党員がいる政党は三つあります。一つは「リバタリアン党」。彼らはいわゆる徹底的な自由主義を目指している集団です。もう一つが「アメリカ緑の党」。ここは環境重視を謳っているところです。そして三つ目が「立憲党」。この党は1992年までは、アメリカ納税者党と言われていました。共和党と同じく小さな政府構想を持つ右派政党です。これらの政党は、一応ほとんどの州で立候補の届け出をできる規模を持っています。

そのほかにも、「アメリカ独立党」や「禁酒党」など泡沫政党がたくさんあります。面白いところでは、「アメリカ共産党」ですね。日本の共産党はソ連からは少し距離を置いていましたが、このアメリカ共産党はソ連べったりの党でした。最近はほとんど噂を聞かなくなっていましたが、「ウォール街を占拠せよ」という掛け声とともに盛り上がった反資本主義運動などから、多少は元気を取り戻しているそうです。

とはいえ、**実質的には民主党と共和党の二つの党の争いですので、二大政党制と言われているの**です。

まず大統領選挙に先立って、それぞれの党が党の全国大会で、「私たちの政党は〇〇を大統領候補として立候補させる」と決めます。

では、どのようにして、自分の党の代表を決めるのか。そこで行われるのが「予備選挙」です。

以前は、各州にいる党のお偉方が自分にとって都合のよい代議員を党大会に送り込んで、その代議員たちによる駆け引きで大統領候補が決まっていました。ところが1960年代に、「国民の見えないところで大統領候補者が決まるのはよくない」という声が上がり、候補者選出を国民に対して透明に行うということで、「予備選挙」というものが全国的に広まったのです。

具体的には、全米50州とワシントン特別区、それにプエルトリコにおいて、それぞれ人口によって決められた人数の「代議員」を選挙によって選出します。この「代議員」が、全国党大会で大統領候補に投票するわけです。

ちなみに、予備選挙の方式は、州によって少しずつ違います。有権者が投票所に行って、投票用紙に代議員の名前を書いて投票する選挙方式で決める場合もあります。また、アイオワ州やノースダコタ州など、地区ごとに集会を開き（党員集会と言います）、みんなで議論をして決めるところもあります。州には党の支部があちこちにあるのですが、その支部が中心になって町内会のような形で、50～100人くらいの単位で集まる。そして、自分のところでは誰を候補にするのか議論するというわけです。

民主党と共和党では仕組みが少し違います。たとえば、**民主党では、30人の代議員がいる州で、ある候補が50%の得票を獲得すれば、その候補は15人分の代議員票を獲得したということになります。つまり、全国党大会で15票を入れてもらえるようになる。**

一方の**共和党は、「勝者による総取り方式」を採用**しています（英語では、Winner takes allと言います）。

州ごとの選挙で1位になった候補が、その州にいる代議員の数すべてを獲得するということです。30人の代議員がいる州で、ある候補が1位になったとすれば、その候補は30人

の代議員を獲得し、全国党大会で30票入れてもらえるということです。ただし最近は、獲得票数に比例して代議員の数を分け合う仕組みの州が増えてきています。

こうして1月から6月までの長期にわたる予備選挙で「代議員」が選ばれ、8月か9月に開かれる全国党大会における彼らの投票によって、その党の大統領候補が決まるのです。

共和党と民主党の違い

ではここで、民主党と共和党に、それぞれどんな特徴があるのか解説しておきましょう。

まず、大雑把に分けると、**「小さな政府」を目指すのが共和党で、「大きな政府」を目指すのが民主党**です。

共和党は自由主義的なので金持ちの党、白人の党、ビジネスマンの党とも呼ばれています。つまり、支持者たちはみんな独立精神が旺盛で、「国に頼るのはよくない。自分たちのことは自分たちですべきだ」と考えているわけです。だから、「社会保障をより充実させよう」「国民皆保険制度を導入しよう」といった政策には反対します。「我々が納めた税金を、ろくに働きもしないで国に頼るようなやつに使うなんてとんでもない」「なぜ自分で民間の医療保険に入ることができないやつの医療費まで、我々が払わなければいけないんだ」と、こういう発想になるわけです。共和党のブッシュ政権のときの2008年にリーマン・ブラザーズが破綻しましたね。あの時も、「なぜ企業を助けてやる必要があるんだ。自己責任だろう」という考え方が背景にありました。

一方の**民主党は、黒人やヒスパニック系、あるいは労働者などの貧しい人たちを代表する党**とされています。つまり、「**困っている人がいれば、これを助けるために社会保障を充実させるのは当然だ**」「**不景気になったら、国がケインズ政策のようにいろんな財政支出を拡大することによって景気をよくしていくというのは当然だ**」と考える。ですから、結果的に大きな政府になっていくわけです。

外交政策の面から見ると、共和党は、どちらかというと海外のことにあまり興味がない。「アメリカはアメリカで好き勝手にやっているから、諸外国もアメリカに危害を加えないのであれば、ご自由にどうぞ」というスタンスです。

一方の民主党のほうが海外のことをいつも見ている。だから、民主党から大統領が出ているときのアメリカは戦争をすることがよくあります。第2次大戦もそうだし、ベトナム戦争だってケネディ大統領の時代からです。民主党のケネディとジョンソンの時代にどんどん泥沼化していき、共和党のニクソンになって戦争をやめるということになった。共和党の大統領が戦争をしたのは、最近ではブッシュ親子くらいではないでしょうか。

地域で分けると、南部は共和党、北部は民主党が強い傾向があります。ただ、注意をしなくてはいけないのは、リンカーン（最近の日本の教科書の表記はリンカン）は共和党です。当時の共和党は、奴隷を解放しようとする北部を代表していました。南部に勢力があるのが民主党でした。これがいつしか逆転をして、保守主義者の多くいる南部が共和党の票田になり、革新派の多い北部が民主党の票田になりました。

民主党と共和党には、このような違いがあります。

民主主義の原点が見える予備選挙

大統領選挙の話に戻ります。

予備選挙は、大統領選挙が行われる年の1月、ニューハンプシャー州から始まります。一方の党員集会はアイオワ州から始まります。

まず、なぜ州ごとに行うのか。アメリカは州がそれぞれ独立国家のようなものだからです。「自分たちの州は、この人を大統領候補として推す」というのを、それぞれ決めるわけですね。

2012年1月、アイオワ州の共和党の党員集会へ取材に行きました。私が見た党員集会は地元の高校の校舎で行われました。火曜日の夜です。仕事が終わり、夕飯を食べてから、みんなが集まる。そして、その地区の人たちで「さあ、代表は誰にしようか」と話し合う。その中の何人かが、「私はこの人を支持します」「私はあの人を支持します」と演説をして、住民を説得するわけです。それが終わると、今度は投票に移る。その地区の委員が、紙切れを配り、そこにその場で名前を書く。最後にかごを回して、投票用紙を集める。教会の献金のように、かごを使うのは面白いですね。

そして、その場で開票します。この人は何票、あの人は何票……といった具合に。最終的に、「うちの地区はこの人がトップになりました」とその州の共和党の委員会に電話で報告します。各地からの票数が集計され、トータルとして「アイオワ州では誰が候補者になった」と決まります。

私はこの党員集会の取材を通して、民主主義の原点を見た気がしました。党員集会というのは、その地区の共和党員たちが集まって、老若男女みんなで「誰を大統領候補にすべきか」を議論したり、「この人に投票してください」と演説したりするわけです。そして自らの手で紙に名前を書いて投票して、その場で票数を数えてしまう。日本なら「正」の字を書いていくような雰囲気でした。まるで、小学校の学級委員選びのようです。

アイオワ州では、1774カ所で党員集会を開きました。小学校や中学校あるいは教会を集会場にして50人から100人ずつの有権者が集まる。町内会レベルの規模ですから、大体お互いに顔見知りです。この規模の小ささに民主主義の原点はこれだと思ったのです。

つまり本当に自分たちで大統領候補を選び、ひいては大統領を選ぼうという意気込みを感じたのです。

選挙がマチ興しになる

1月から6月までの長期戦は、大統領候補者を政治家として鍛え上げる意味もあります。選挙を盛り上げ、有権者から注目されることで、候補者は大統領にふさわしい人物に成長していくのです。また、注目度が上がれば上がるほど、政治献金もボランティアも集めやすくなります。ですから政党は総力をあげて選挙を盛り上げようとします。

ただし、選挙が盛り上がることで嬉しいのは、政治家だけではありません。実はこの予備選挙は、重要な「マチ興し」にもなっています。

たとえば、ニューハンプシャー州では、全米で一番最初に予備選挙を行うという決まりがあります。また、アイオワ州は、全米で最初に党員集会を開くと決めている。最初に選挙を始めれば、メディアがそこに注目するからです。

大統領候補者としても、最初に優勢であるという印象をつけたいので積極的に足を運んでくれる。ニューハンプシャー州とアイオワ州で選挙が行われるのは1月ですから、前の年の秋ぐらいから候補や多数の運動員が何度も何度もそこに通って選挙運動をする。全米のメディアがその動向に注目する。アメリカ大統領選挙の場合は、自国のメディアだけではありません。日本からも私のような人間が行くわけです。

これは大変な経済効果を生みます。アイオワ州にはデモインという州都があります。人口20万人ほどの、取りたてて特徴もない小さな都市です。けれども、選挙の期間は、運動員とメディアで街中のホテルはすべて満室になる。彼らは街で食事をしたり、日用品を買ったりするわけですから、あちこちにお金を落としてくれます。

また無視できないのが、地元のテレビ局に候補者のコマーシャルがたくさん入ることです。アメリカの場合は、候補者のコマーシャルが入る一方、同時に対立候補からのネガティブ・キャンペーン（相手の政策や経歴の問題点を指摘することで、相手のイメージを悪くし、自分が有利になるように働きかけること）でも同じようにコマーシャル枠を買ってくれます

2012年1月4日付アイオワ州の地元紙「デモイン・レジスター」より

から、地元のテレビ局としては大変なコマーシャル料が入ることになります。

党員集会が終わった翌日、つまり2012年の1月4日のアイオワの「デモイン・レジスター」という地元の新聞に出ていた風刺画が面白かったですね。アイオワという名のシンデレラ姫がいて、馬車がカボチャになっている。そして「もう時間よ。また2016年（4年後）にね」と書いてある［上図］。

前日までは、番組と番組の間にはスポットコマーシャルが入っていて、微笑んでいるロムニーの映像と「ロムニーに一票を」といったセリフが流れたと思ったら、その直後に「ロムニーはこんなに信用できない人間だ」といったコマーシャルが流れていたわけです。

それが翌日から気が抜けたみたいに、コマーシャルも何もない。すごく不思議な感じがしました。

こうして、ニューハンプシャー州とアイオワ州が儲けているのを見たほかの州が、「それなら、うちも少しでも早く」と選挙日程を前倒しし始めたのです。ニューハンプシャー州とアイオワ州も死活問題ですから、どこかが早くなると「とにかくうちが最初なんだから」と、さらに日程を前倒しにする。そうこうしているうちに、アイオワ州はとうとう1月3日になってしまいました。さすがに1月1日から選挙を始めるわけにはいかない。では次の火曜日はいつかというと、3日だということで、1月3日から始まったのです。なぜ火曜日でなければいけないのか。それは次の項目で説明します。

投票日は「11月の第1月曜日の翌日」

こうして1月3日に党員集会が始まり、3月初頭の火曜日には10を超える数の州がいっぺんに予備選挙や党員集会をやります。それをスーパー・チューズデーと言います。一般的にはここで候補者が決まります。強い影響力を持つ特別な日だというので「スーパー・チューズデー」と呼ばれています。ちなみに2012年の場合、**スーパー・チューズデー**

は3月6日でしたが、ここでも決まりませんでした。

そして8月か9月に各政党は党大会を開きます。そこでこれまでの予備選挙と党員集会の結果をもとに、正式な大統領候補を決めるわけですね。

そして、11月の第1月曜日の翌日に、いよいよ民主党の大統領候補と共和党の大統領候補が一騎打ちをする選挙が行われます。有権者が選ぶのは「大統領選挙人」です。この章の冒頭で解説したように、アメリカの建国者は有権者のことをあまり信用していなかったので、あくまで間接選挙のかたちを採っているのです。

この大統領選挙の特徴を一つ挙げるとするならば、共和党の予備選挙と同様に「総取り選挙」だということになるでしょう。50州＋ワシントン特別区でそれぞれの州ごとの選挙戦を戦うわけですが、その結果、1票でも多く獲得した候補が、その州に登録された大統領選挙人を総取りする仕組みになっています。ただし、メーン州とネブラスカ州の二つの州だけは、その州の下院の選挙区ごとにトップ候補に選挙人を割り振ります。

このような仕組みになっているので、全体の投票総数ではA候補が勝っているのに、大統領選挙人ではB候補が勝ったということが起こります。実際に、過去に何回か起きています。２０００年のブッシュ対ゴアの大統領選でもそうでした。ゴアの方が総得票数は多かったのですが、獲得した大統領選挙人の数ではブッシュが上回ったので、ブッシュが大統領になれたのです。まあ、この選挙は、最後のフロリダの結果が怪しかったのですが。

ちなみに、なぜ大統領選挙は11月の第1月曜日の翌日という複雑な日程なのか。この日程に落ち着く過程はなかなか面白いので、ご紹介しておきます。

まず、アメリカという国は昔も今も、農業国です。だから選挙をするなら、国民の手が空く農閑期にしようということになった。具体的には11月の上旬です。10月はまだ収穫期ですし、11月の下旬になると、今度は冬支度が始まります。そこで選挙の時期は11月の上旬がいいということになりました。

次に、では11月の上旬に選挙を行うとして、具体的に何日にするか、何曜日にするかも決めます。アメリカはキリスト教の国ですから、日曜日は避けなければなりません。日曜日は安息日で午前中は教会に行き、午後は静かに過ごさなくてはいけないからです。そんな日に投票はできないというわけです。では、月曜日ならどうか。それも難しいのですね。移動に時間がかかるからです。当時は自動車も電車も飛行機もありません。みんな馬車で移動していました。月曜日に投票所へ到着するためには、前日の日曜日から旅の準備をして家を出なくてはいけない人たちもいます。やはりこれは安息日に働くことになるので、避けたい。それならば、火曜日にしようということになったのです。

では「第1火曜日」にすればいいと普通は考えます。けれども、それだと11月1日が第1火曜日になる可能性があります。11月1日は「諸聖人の日」といって、キリスト教の聖人になっている人たちを祭る重要な日なのです。ちなみにみなさんもご存知のハロウィーンは10月31日に行われますが、これは「諸聖人の日」の〝前日〟に行われるお祭りなのです。結局、そんな大切な日に選挙をするなんてとんでもない、ということになり、11月2日以降にしようということになりました。

それらの条件をすべて満足させる日程こそが、「第1月曜日の翌日」だったのです。選挙日程にこれだけこだわるのも、アメリカはキリスト教徒の国だからです。

大統領と連邦議会の緊張感のある関係

選ばれた大統領選挙人による投票は12月中旬に行われ、1月6日にワシントンの連邦議会上院で開票されます。ここで過半数となる270人の大統領選挙人を獲得した候補者が、正式に次期大統領に決まります。こうして長き選挙戦は終わりを告げるのです。

大統領の就任式は1月20日に連邦議会の前で開催されます。

そもそもアメリカ国民は自分たちの代表として連邦議会議員を選んでいるわけです。法律を決めるのも連邦議会です。でも、連邦議会議員以外に国をまとめたり、国を代表したりする人物が必要だというので、大統領という職を作ったのです。だから、大統領はあくまで連邦議会議員の前で宣誓をする形になっています。

また先ほども述べたようにアメリカはキリスト教の国ですから、大統領であっても必ず聖書に手を置いて神様に誓います。ちなみにその**新たな大統領の宣誓の式をとりしきるのは最高裁判所の長官です。まさに「大統領の宣誓式」を見るだけで、三権分立が成り立っていることがわかる**わけですね。

新大統領はこれから自分が職務を誠実にまっとうするということを、連邦議会議員つまり国民の代表である連邦議会議員の前で誓う。そして、同時に「大統領としての職務は憲法にしたがって務めます」ということを、最高裁判所長官に宣誓に立ち会ってもらうという形で宣言しているわけです。

このように**アメリカは権力同士のチェックを常に考えています。大統領は圧倒的に強い力を持っているので、独裁者になる可能性もある。そこで議会と大統領とに権力が分かれるようにした**のです。

たとえば、アメリカでは予算編成権は議会が持っています。日本の場合は、予算編成権は内閣が持っていますね。だから内閣がまず予算案を作成して、それについて議会から承認を得る。しかし、アメリカの大統領はそもそも予算案を作ることもできません。予算編成権はあくまで議会にある。議会に予算局という部署があって、そこのスタッフたちが議会多数派の議員たちと相談しながら予算案を組む。それを議会が承認する仕組みになっています。

では、大統領は予算にまったく自分の意思を反映させることができないのかといえば、そうではありません。大統領として、「私はアメリカという国をこういう方向にしたい。こんなところに力を入れていきたい。だから、こんなイメージの予算にしてほしい」といった要望を出すことができます。それが「予算教書」です。年に一度、大統領は連邦議会へ出向いて、そこで予算教書演説をします。いわば、大統領が議会に「こういう予算をつくってください」とお願いをするわけです。その予算教書演説を受けて、議会は「じゃ、どうするかね」と考えるのです。

このような仕組みになっているので、議会と大統領が対立することがよく起こります。2012年の前半もそのような事態が起きました。アメリカは国債発行に上限が決められていて、その財源を使いきってしまったのです。そこで「このままでは新たな事業が何もできないから、国債発行の上限額を上げてほしい」と大統領は主張しました。しかし、議会は「嫌だ」と答えた。結局、すったもんだしたあげく、議会が折れて、国債発行額の上限を上げましたが、ぎりぎりの決定でした。

実際、過去にはアメリカ政府にお金がなくなってしまい、政府の機能がストップする事態になったことがあります。しかしそのような事態が起きたとしても、チェック・アンド・バランスを効かせたほうがいいとアメリカ国民は考えているから、この仕組みが変わることはないのです。

ホワイトハウスが低地にある理由

アメリカ軍の最高司令官は大統領です。その代わり、「戦争を始める」という宣戦布告をする権限は議会に与えられています。不思議なことですが、最高司令官である大統領は宣戦布告できない仕組みです。

どうしてそんなことになっているのか。**連邦議会こそが国民の代表だから**です。

そもそものお話をしましょう。アメリカ合衆国という国は、州がそれぞれ一つの国家のようなものです。つまり、もともと13の国が集まって、より大きな国を作った。その運営のために連邦政府が作られたわけです。

しかし、国民はこう考えました。「自分たちは自分たちの国でうまくやっているのに、それぞれの国よりも上の組織ができて、それが強い力を持って、好き勝手にやられては困る」と。

だから建国当時、アメリカ国民は、連邦政府にも大統領にもそれほど強い力を持たせるつもりはありませんでした。だからこそ、これでもかというほど権力のチェック・アンド・バランスに気を遣った仕組みができたのです。

連邦政府の場所を考えても、当時のアメリカ国民の考え方がわかります。ワシントンは、別名「フォギー・ボトム（霧の底）」と呼ばれています。住み心地の悪い沼地・湿地帯にわざと首都を置いたのです。

年中ジメジメしているし、夏は猛烈に蒸し暑い。春や秋にはすぐ霧が出て、視界がなくなってしまう。そんなひどい場所にある。

とりわけホワイトハウスは、ワシントンの中でも低いところにあります。住み心地が悪い。**一方、全国の国民から選ばれた連邦議会の議員たちの集まる連邦議会は、なるべくい**

い場所に置こうというので丘の上にある。それでアメリカの連邦議会のことを別名「キャピトル・ヒル」というのです。

あなたもワシントンへ行く機会があれば、ホワイトハウスと連邦議会の場所を確認してみてください。面白いですよ。連邦議会の建物はかなり遠くからでも見えます。丘の上にありますから。しかし、一方のホワイトハウスは、低地に建てられているからどこにあるかなかなか見つかりません。連邦議会から見下ろせるような低い位置に置いたわけです。強い力を与えないように。

大統領は国のトップだから軍隊の最高司令官になるのは仕方がない。けれども、宣戦布告の権限まで与えるのは行き過ぎだ。それは議会に持たせておこうということにしたわけです。

第2次世界大戦でも日本に対する宣戦布告は議会が行っています。もっともベトナム戦争は、正式な宣戦布告がありませんでした。南ベトナム政府から頼まれてアメリカ軍が軍事顧問団を置いているうちに、ずるずると泥沼に陥ってしまい、次から次へと軍隊を送らなくてはいけなくなり、戦争になってしまいました。

湾岸戦争とイラク戦争のときは、宣戦布告権限は連邦議会にあるけれども、「大統領の判断でいつでもイラクを攻撃してもいい」ということを連邦議会で議決し、大統領にその権限を与えました。

もちろん、湾岸戦争にしてもイラク戦争にしても、議会の中で戦争をすることに反対する議員たちがいました。全会一致で決まったわけではありません。もし過半数が反対だったら、アメリカは戦争できなかったわけです。

イギリスの歴史家ジョン・アクトン卿はこんな言葉を残しています。**「絶対的権力は絶対的に腐敗する」と。これは民主主義の大原則です。**権力はそもそも腐敗し、それも絶対的な権力を与えるほど絶対的に腐敗するのです。

だから、大統領には強い力を持たせるけれど、絶対的な力は与えない。最高裁判所や議会がそれをチェックする。チェックすることによってバランスを取る仕掛けになっているということなのです。

大統領を「育てる」仕組み

日本の総理大臣が、コロコロ代わるようになって久しいですね。総理大臣になってからスキャンダルが発覚したり、漢字を読み間違えることがわかったりするなど、お粗末な理由で国民からがっかりされている人がたくさんいます。もちろんアメリカの大統領にも、ブッシュのようにバカにされたり、クリントンのようにスキャンダルを暴かれたりすることがありますが、批判に対する対応力だけを見ても日本の総理よりもずっとマシです。これはなぜなのか。実は、政治家の質と、ここまで詳しく説明してきた選挙制度には、深い関係があると思わざるを得ません。

たとえば、共和党でサントラムという人が予備選挙に名乗りをあげました。徹底したキリスト教福音主義派で、彼が主張するのは、とにかく家族の大切さと妊娠中絶反対、それから同性婚反対だけです。あとは、「小さな政府の推進」くらいで、まったくの泡沫候補でした。

ところが、サントラム陣営はアイオワに全力を投入し、その結果、アイオワで善戦し、最終的に勝ってしまったのです。すると何が起きたか。

勝った翌日には、1日にして100万ドルもの政治献金が彼のもとへ集まりました。これで有力候補の仲間入りを果たし、全米から応援するボランティアが駆けつけるようにもなりました。要するに、どんどん活気づいてくるわけです。

結果的に、夏の前にサントラム氏は撤退することになりましたが、それは南部の州で連続して負け続けたことが原因になりました。つまり、「勝てそうもない」という雰囲気になった途端に、すべてが逆回転し始めたのです。政治献金がまったく入らなくなり、すると十分なキャンペーンもできなくなるので、また負ける……と悪い流れが止まらなくなったのです。

つまり、**アメリカの大統領選挙というのは、最初の時点での候補者の力関係ですべてが決まるわけではないのです。選挙戦を戦いながら、ある候補者は力をつけていくし、ある候補者は力を奪われていく。**ですから、本当にごくわずかの知り合いだけで選挙戦を始めたとしても、勝つことによって、全米に組織をできる力を得るようになる。資金にしても、まさにオバマがそうでしたが、本当にわずかな個人の政治献金が次々と集まっていき、大きなお金になることもある。つまり、候補者の陣営が鍛えられていくわけです。

一方、注目されればされるほど、候補者個人に向けられるネガティブ・キャンペーンも激しくなります。政策面への批判はもちろん、徹底的な身辺調査が行われてスキャンダルもたくさん暴かれます。候補者はそれに耐えなくてはいけません。耐えられない人はそこで脱落していく。

このように、1月の予備選挙開始から11月の本選挙まで、生き残った候補者たちは徹底的に鍛えられて大統領になるのにふさわしい力をつけていくのです。ですから、11月の一騎打ちまで辿りついた人は、その組織力の点でも、個人の能力の点でも、どちらの候補でも大統領が務まるように自然になっています。つまりアメリカ大統領選挙というのは、政治家を「選ぶ」だけでなく、政治家を「育てる」仕組みだとも言えるのです。

一方、日本の場合は突然、首相が生まれてしまいます。十分な準備がないまま、総理大臣になることもある。こんな調子だからお粗末なことが起きるのです。

国民を代表する政治家である大統領は、手間暇とお金がかかっても国民が「育てる」もの――それがアメリカの民主主義の根底にある思想なのです。

二限目

政党

——政策よりも票集めと席取り

「政治は数、数は力」と言いますが、自らの主張を通していくために政治家たちが作る集団が「政党」です。普通は政党ごとに特色があって、それぞれ違う政策を打ち出すものですが、不思議なことに、今の日本の二大政党、自民党と民主党はそうなっていません。どの主要な政策をとっても、自民党と民主党の間に大きな違いはなく、しかもそれぞれの党内で意見を一致させることさえできないでいます。どうして、このようなことになってしまったのでしょうか。

議論の内容よりも議席数？

消費税増税問題に関しても、憲法改正に関しても、民主党にも自民党にも、それぞれ賛成派もいれば反対派もいます。なぜ日本の政党は政策で分かれていないのでしょうか。歴史をさかのぼって説明します。

「**55年体制**」という言葉を聞いたことがある人も多いと思います。戦後日本の独特の政治構造を理解するよい教材です。

１９５５年以降、日本は自民党と社会党の二大政党制という形をとりました。

これは、二つの軸があります。

まずは、**東西冷戦の影響**です。要するに、アメリカグループにつくのか、ソ連・中国グループにつくのかという選択を迫られて、「ソ連と中国につくのは嫌だ」という人が自民党になった。一方、「アメリカに取り込まれるのは嫌だ」という人たちが社会党を形成しました。

もう一つの軸が、**憲法改正についての考え方**です。

「アメリカから押しつけられた憲法は変えなければいけない」と考える人たちは自民党に入りました。それに対して、「憲法を変えることはだめだ」と考える人たちは社会党に入った。

これが55年体制下における自民党と社会党の大まかな立場の違いです。さて、この二つの政党はどのような政治状況を生み出していったのか。

まず注目すべきは、憲法改正の要件です。**憲法改正というのは、国会議員の3分の2以上の賛成がなければ発議できないことになっています。**つまり、自民党が選挙を通じて3分の2の議席を確保できれば、憲法改正を達成できます。すると、憲法9条を変えて、軍隊を持つようにしようという話になる。社会党としては、これだけは何とかして阻止したい。**阻止のためには何をすればいいのかというと、3分の1以上の議席を常に確保していればいいということになります。**

このような条件の下、自民党と社会党は長らくせめぎ合いを続けていたのですが、いつしか、社会党から「政権を取ろう」という意欲が失われていました。つまり「もう政権は取れなくてもいい。とにかく3分の1の議席を確保していればいい」と考えるようになってしまったわけです。

一方の自民党も、「3分の2の議席を確保して、憲法改正をするのは大変だ。過半数の議席さえ確保しておけば与党として政権を運営していけるのだから、それでいいではないか」ということになってしまった。

こうして、**自民党の勢力を「1」とすれば、社会党の勢力は「2分の1」**という状況が続くようになりました。だから、この**55年体制は、「1と2分の1政党制」**とも呼ばれています。

与党は「与党でありさえすればいい」、野党は「憲法を変えさせなければいい」ということばかりを考えていて、具体的な政治思想や、日本をどのような国に変えていこうかといった議論はきれいに抜け落ちたまま、国が運営されることになったのです。

自民党は〝社会民主主義政党〟だった

世界を舞台ににらみ合う東西陣営のどちらに味方をするか、そして憲法改正を認めるか認めないか、この二軸で自民党と社会党は二つに割れていたという話をしました。

では国内政策には、どのような違いがあったのでしょうか。

実は、社会保障の考え方にしても、税金についての考え方にしても、この二党の考え方にほとんど差はありませんでした。どういうことか。

たとえば、景気が悪くなったときに、それぞれどのような施策を打つのかを考えてみます。**自民党は、「国のお金を建設業に使うことで景気を良くしよう」という考え方です。つまり、「大きな政府」と「小さな政府」で分けるとすると、「大きな政府」論**ですね。では社会党はどうするのか。もちろん党の名前から考えてもわかる通り、**社会党は市場原理よりも政府による再配分を信じる立場にありますから、社会党も同じように「大きな政府」論**になります。

別の例を挙げましょう。元国民新党代表で衆議院議員の亀井静香氏は、2009年にモラトリアム法案（返済猶予法案）を提出しました。これは「金融危機で景気が悪い今、中小企業が倒産してはいけないから、銀行は返済を猶予してあげなさい」ということを決めた法案です。また亀井氏が自民党にいて、運輸大臣（今の国土交通大臣）を務めていたころのこと。日本航空が経費削減のために客室乗務員を契約社員にしたことがありました。このとき「契約社員では安全が守れないだろう。正社員として雇え」と時の大臣が企業の雇用に口を出して、大騒ぎになったことがあります。

このように、**公共事業で景気を浮揚させようとしたり、国が企業の行動に口を出して貸出調整や雇用調整をしたりするのは、国際的な水準から考えるとまさに社会民主主義の考え方**なのです。

強いて分けるとするならば、自民党内の派閥で多少の方針の違いはありました。自民党内には、田中派（田中角栄元首相を中心とする、自民党のかつての最大派閥）と福田派（福田赳夫元首相が中心。現在の清和政策研究会）という大きな対立軸がありましたが、田中派は、完全な社会民主主義でした。いわゆる「大きな政府」主義。公共事業で国の経済をコントロールし、社会保障を充実させようという方針です。一方の福田派は田中派と比べれば、「小さな政府」を志向していました。しかし、どちらにしても世界的に見れば「大きな政府論者」です。

実は小泉純一郎氏が出て来るまで、自民党から本格的な「小さな政府論者」、つまりは自由主義者が出てきたことはありませんでした。55年体制における自民党というのは、その党名を見てもわかるように自由主義政党ということになっていましたが、内政についての方針をよく検証してみると、実は完全にヨーロッパ風の社会民主主義政党であり、つまりは社会党と同じ考えだったわけです。

東西冷戦の軸の中で考えた場合には、「反共産党」「親共産党」の違いはありましたが、ともに国民皆保険制度を作り、年金制度を充実させようとしてきた自民党と社会党は、一見対立をしているように見えたけれども、実は違いがなかったのです。だからこそ細川政権（1993年8月9日～94年4月28日、自民党と日本共産党を除く政党による連立政権。この内閣が発足したことにより、38年間続いた55年体制が崩壊した）の後で、社会党の村山富市氏を総理大臣として、自民党が支える自社連立政権（1994年6月30日～96年1月11日）がいとも簡単に成立したのです。その後にも、今度は自民党の橋本龍太郎氏が総理大臣（1996年1月11日～98年7月30日）になり、社会党がそれを支えるような形もありました。これはアメリカで言えば、共和党と民主党が連立政権を作るようなものですが、普通はあり得ないことです。実際、アメリカではハリウッド映画のように宇宙人でも攻めてこない限り、実現しないでしょう。

この「実は自民党と差がなかった」ということは、野党であった社会党にとって、不幸なことだったと言えるかもしれません。自分たちが過半数を奪取し、政権を取る意欲を押し下げたに違いありませんから。

民主党と自民党は二大政党制ではない!?

では、今の自民党と民主党はどうか。これも、確かに二大政党制のように見えます。でも残念ながら見た目だけです。実は**政策で二党に割れているわけではありません。**

民主党にも、自民党にも、それぞれ大きな政府論者も小さな政府論者もいます。たとえば、前首相の菅直人氏などは、小さな政府論者です。しかし、現首相の野田佳彦氏は大きな政府論者ですね。

ですから、もしアメリカ風に、小さな政府か／大きな政府かを軸に国の政策を考えるのであれば、やはり「ガラガラポン」をして、整理をしなくてはいけません。

ただし、今の民主党が政党としての立場をクリアにするのは簡単ではないでしょう。社会政策だけでも整理するのは大変なのに、憲法についての考え方も絡むとさらに複雑になるからです。民主党の中には、憲法を変えて自衛隊を国防軍にすべきだと考えているタカ派の人もいるし、憲法を変えるなどとんでもないという旧社会党の流れをくんでいる人もいます。民主党政策調査会長の前原誠司氏などはタカ派でしょうし、民主党幹事長の輿石東氏などは、いわゆる社会党系です。

55年体制、そして今の民主党と自民党の関係を見てきて、一つ言えることは、日本に二大政党制が根づかない最大の問題は、それぞれの政党が、いわゆる「政策」で分かれていないというところにあるということです。

言い換えれば、**日本の国会議員は、必ずしも自分の信条と照らし合わせて所属する政党を決めているわけではない**ということです。**選挙で勝てそうな政党に属している人が多い**のです。いわば政党が、政治家が議員になるための「腰かけ」としての役割しか果たさなくなっているのです。

このことは政権交代が成立したことで明らかになりました。自民党から民主党に変わって、何か世の中が変わったかといえば、変わらない。それは当然です。2012年についに法案が可決された消費税増税論議を見ていてもわかりますが、民主党も自民党も、それぞれ党内で妥協を重ねた結果、ほとんど同じような政策しか打ち出せなくなっているからです。

そして国が変わることを期待した国民は、そのことに失望していたのです。

ただし、「自分たちが本気で怒れば政権交代は起きる」と国民が学んだのは、非常に貴重な第一歩だったと思います。

政権交代の後で成立した民主党政権は、とてもお粗末なものでした。けれども**「政権交代をした結果、ひどいことになった」と国民が感じているのであれば、また選挙を通じて政権交代をさせればいいのです。**

これを何度か繰り返すことで、国の政治が、つまりは国そのものが成熟していく。これこそがまさに民主主義の本道です。

そう考えると、今野党の位置にいる自民党にこそしっかりしてもらう必要があります。「民主党を政権からひきずり下ろそう」と国民が考えたときに、問題になるのは、「ではどこに投票するのか」です。今は「民主党はダメだけど、そうかと言って自民党もないよね」となっている。自民党も民主党も、支持率は低迷しています。

これは二大政党制を標榜する国としては情けないし、国民にとっては不幸としか言いようのない状況です。

ですから、本来、自民党は野党になった今こそ絶好のチャンスなはずです。極端な話かもしれませんが、小泉純一郎元首相の次男で、歯切れのいい演説に定評のある、若手イケメン政治家・小泉進次郎氏を党首にして、国民にアピールするくらいの決断が必要なのかもしれないのです。

社民党と共産党

民主党と自民党の政策方針はほとんど変わらないと書きましたが、では、社民党と共産党は何が違うのでしょうか。それぞれの目指す方向性を示しながら解説をしてみます。

まずは社民党ですが、１９９６年に民主党が誕生するときに、社会党は三つに割れました。民主党の中に取り込まれたグループと、社会民主党としてそのまま残るグループ、そして新社会党を作ったグループの三つです。

最後の「新社会党」は、社会民主主義ではなくて、社会主義の理想を貫こうとする政党になりました。純粋なマルクス・レーニン主義の党にしようとしたのです。結局、次の選挙でみんな落ちてしまいましたが……。

社民党に残ったグループも数としてはごくわずかでした。**結局、今社会民主党に残って**

いるのは「とにかく憲法を守ることが大事」というその1点だけは絶対に譲れないという人たちです。「憲法9条を守れ」「自衛隊の海外派遣反対」を掲げているわけですが、看板としては非常に弱い。するとどうしても支持の広がりがなくなってきています。だから今は選挙があるたびに議員が減っている状況です。結果的に、55年体制の片翼を担った昔の社会党の中心を支えていた議員は、いまやみんな民主党員になっています。

一方の共産党は、東西冷戦終結以降、やはり大きなダメージを負いました。共産主義の理想に燃えて、手弁当でも一生懸命活動しようという人の数は、どんどん減っています。特に若い人が入党してこないので、党員の高齢化が進んでいます。共産党の機関紙『赤旗』の部数も激減していると聞きます。

主義主張としては、社民党と共産党はほぼ同じです。どちらも「言っていることが全部実現したらどんなに幸せな社会になるだろう」という夢のような理想論を主張しています。つまり、その理想を実現するための財源については、説得力のある答えを出せないでいます。社民党や共産党に言わせると、「戦車や戦闘機を買わなければいい」ということになるのですが、まあ、それはおっしゃる通りという面もありますが、それだけの資金では彼らの思い描く社会はとても作れないでしょう。

とにかく、社民党と共産党には根底ではあまり差がありません。実際には国民は主義主張で「社民党」か「共産党」かを選択しているのではなくて、「共産党」という名称になんとなく抵抗があるという人が社民党を応援してきたという現実があります。

海外でも同じような傾向はあります。東西冷戦終結以降、各国の共産党は一気に崩壊して、ほとんどの国で党の名前を変えてしまいました。たとえばイタリア共産党は、西側世界では最大の共産党でしたが、今や「民主党」という民主主義を標榜する党のような名前になりました。

実は西側世界で今でも「共産党」の名前を名乗り続けているのは、日本以外にはあまりありません。東側諸国でも、東ヨーロッパではみんな名前を変えてしまいました。さすがにロシア共産党は、依然としてありますけれども。

三限目

国会

——国会の主役はあくまで国民

政治家が活躍する場所といえば、何と言っても「国会」でしょう。私たちの暮らしに関係している予算や法律は、そもそも国会を通らないと成立しません。首相を選ぶのも国会ですし、その首相を辞めさせることができるのも国会です。それでは国会はどういう仕組みになっていて、どのように動いているのでしょうか。最近のトピックを交えながら、見ていきましょう。

国の仕組みを決める憲法

国会の具体的な話に入る前に、少し憲法の話をしておきましょう。憲法をどのように定めるかによって、おのずと国の仕組みが決まるからです。憲法には「**欽定憲法**」と「**民定憲法**」の2種類があります。

❶欽定憲法、明治憲法や今の中国がこれ

国で一番偉い国家元首が国民に向けて自分の施政方針を伝える憲法を発し、その憲法にしたがって、国の仕組みが作られていくのが欽定憲法です。明治までの日本がこの形を取っていました。

明治時代に入り、日本も近代国家の体裁を整える必要が出てきます。そこで伊藤博文は、日本にもっとも適した「国家の仕組み」を探すために、ヨーロッパに飛びます。その結果、ドイツ風の法律・憲法と、イギリス風の立法・行政制度を参考にすることに決めたのです。そうして明治日本の国家の基礎として作られたのが、大日本帝国憲法です。

この**大日本帝国憲法は「欽定憲法」**です。つまり、この憲法は、**天皇が国民に対して、「私はこのような国を作っていく」ということを宣言する内容になっているわけです。**トップに立つのは、当然明治天皇です。憲法も「天皇の宣言」ですから、天皇は憲法よりも上の立場に立ちます。そして、次に来るのが、高い税金を納めている国民の中から選ばれた国会議員たちです。彼らが、天皇を補佐する。大日本帝国憲法の制定にともなって、こうした国家の仕組みができあがりました。

現代では、中国や北朝鮮（朝鮮民主主義人民共和国）が採用しています。たとえば、中華人民共和国では、中国共産党が一番上の地位にあって、その下に中華人民共和国憲法がある。ですから、裁判所も、憲法よりも共産党の言う通りに動く。そういう国の仕組みになっています。朝鮮民主主義人民共和国も同じです。憲法の中に「朝鮮労働党の領導に従う」と書いてある箇所がある。つまり憲法の上に朝鮮労働党があるわけです。

2民定憲法、民主主義国が採用

もう一つは、民定憲法です。**国民が一番上に立っていて、その国民が憲法を定める。**憲法の内容は、国民が国家元首や国会議員などに対して「あなたたちは、この憲法で決められたルールを守りながら、国を運営してください」と縛りをかけるものになっている。**国家元首は、その憲法に従って国の運営をする**わけです。

第2次世界大戦後、日本は国の仕組みがガラリと変わりました。その変化の起点になったのも、やはり憲法でした。戦後定められた日本国憲法は、民定憲法でした。

ところで、国王がいるけれど民主主義体制をとる国では、どのような憲法が定められているると思いますか。国家元首がトップに立つ欽定憲法か、それとも国民がトップに立つ民定憲法か。ここでも、民定憲法を採用しているのです。

もちろん**日本の天皇も日本国憲法に従わなければいけません。**昭和天皇が亡くなった後、即位した今上《きんじょう》天皇が行った最初の挨拶の中に、「日本国憲法に従い……」という言葉がありました。即位した天皇が「私は憲法を守ります」とまず宣言する。私はこの挨拶を聞いて、「民主主義における憲法は、権力者、いわゆる国家の権力を握っている役人たち、総理大臣などに対して、憲法を守りなさいよと国民が押しつけたものなんだ」という認識を新たにしたものです。

極端な話をすると、われわれ国民は別に憲法を守る必要はありません。日本国憲法の中には「国家公務員や裁判官などは憲法を守らなければいけない」と書いてあるけれども、国民一人一人については触れられていません。だからこそ、われわれは憲法改正を主張することもできるわけです。よく憲法改正の議論をしていると、「愛国心を持つこと」などを条文に盛り込んで国民に守らせようという主張をする人もいます。しかし、憲法にそれを書くのはおかしなことです。**民定憲法はあくまで権力者に対して、あるいは役人たちに対して、これを守りなさいよと言っているもの**だからです（ただ注意しなくてはならないのは、憲法の下にあるさまざまな法律は、もちろん守らなければいけません。法律を守らなければ、罰せられます）。

そしてこの民定憲法こそが、民主主義の大原則となるのです。

三権分立だが、国会が一番偉い

日本国憲法の中には、「三権分立」の仕組みが組み込まれています。**国会、内閣、裁判所の三つの機関が独立し、互いに監視し合うことで、権力の集中を防ぐ仕組みです。**国会は、法律を作ったり、廃止したりする立法機関。内閣は、国会で決まった法律や予算に基づいて政治を行う行政機関。裁判所は、憲法や法律に基づいて裁判を行う司法機関です。

このように、三権が分立しているのです。ホームルームでも触れたように、**憲法41条には「国権の最高機関は国会である」と定められています。つまり、国会が一番偉い。実は総理大臣よりも国会のほうが偉い**わけです。

民主主義の国では国民主権が基本ですから、国民からの直接選挙で選ばれた議員たちが作っている国会が最高機関になります（このような政治制度を議会制民主主義、または間接民主制と言います）。そうです、「国民が選んだ」ということこそが権力の源泉になるのです。

ですから、内閣がきちんと仕事をしていないと国会が判断すれば、「不信任」を出せる。つまり、やめさせることができます（内閣は対抗して衆議院を解散し、国民の意見を聞くことができます)。あたかも国を動かしているかのように振る舞う官僚も、国会に比べればまったく力はありません。官僚は、あくまでも国会議員の仕事を手伝う存在に過ぎないのです。

民主党がことさらに「政治主導」という言葉を強調したので、何か特別なことだと考えた人もいるかもしれません。けれども、民主主義国家にとって「政治主導」は当たり前のことなのです。行政の仕組みを見ても、国会の仕組みを見ても、国の仕組み全体が「政治主導」にならざるを得ないようにできている。そして、その**「政治主導」という仕組みは、私たちの選挙によって支えられています。**国会の土台は、私たちが作っているのです。

衆議院と参議院でダブルチェック

では、日本の国会の仕組みはどのようになっているのでしょうか？　**日本の国会は「二院制」という形をとっています。**衆議院と参議院の二つの院に分かれていて、法律の案は両方の院がＯＫを出さないと法律として成立しないことになっています。ダブルチェックができるようにしているのです。

ダブルチェックをするのですから、それぞれが別の視点で見たほうがいい。ということで、衆議院と参議院、それぞれの議員も別々の選挙方式で選ばれたほうがいいということになります。異なる選挙方式で選ばれてくれれば、異なるタイプの議員が選ばれる可能性が高まるからです。

衆議院は「小選挙区比例代表並立制」という制度で選ばれるのに対して、参議院は都道府県選挙区と比例区で選ばれる方式をとっています。衆議院議員の数は、480人、参議院議員は242人です。

違うのは選挙方式だけではありません。被選挙権、おっと難しい言葉を使ってしまいましたね。選挙に立候補できる権利を被選挙権と言いますが、その年齢も違っています。衆議院の選挙には25歳から立候補できるのに対して、参議院は30歳からです。

参議院のことをよく「良識の府」と呼ぶことがありますが、それは参議院議員のほうが「大人」(平均年齢が高い)であることが関係しています。何も衆議院に良識がないというわけではありません。そうではなく、衆議院より人生経験を積んでいる人が多いので、若い衆議院の判断をチェックできるだろうという考え方があるのです。

また、任期も異なります。衆議院議員の任期は4年で、解散があります。解散があると、議員の資格を失います。大抵の場合、任期満了を迎える前に衆議院が解散され、総選挙になることが多いのです。

これに対して、参議院議員は任期が6年で解散がありません。ですから、議員の資格がなくなってしまうことを恐れることなく、じっくりと政治に取り組むことができます。6年のうち、3年ごとに半分ずつ改選されることになっています。

衆議院と参議院の違い

衆議院		参議院
480人	定員	242人
4年(解散があれば資格を失う)	任期	6年(3年ごとに半数が改選)
20歳以上	選挙権	20歳以上
25歳以上	被選挙権	30歳以上
小選挙区制(300人) 比例代表制(180人)	選挙方式	選挙区制(146人) 比例代表制(96人)
ある	解散	ない
提出できる	内閣不信任	提出できない

衆議院は、簡単に言うと、一般大「衆」の代表が「議」論する院です。国会議員のことを「代議士」と呼ぶことがありますね。けれども、実はこれ、衆議院議員だけですから、お間違いなく。よく勘違いしている人がいますが、参議院議員を代議士と呼ぶことはありません。

これは戦前の歴史が関係しています。今の国会は衆議院と参議院ですが、戦前の国会は衆議院と貴族院で成り立っていました。そのうち国民による選挙で議員が選ばれるのは、衆議院だけで、貴族院は身分の高い貴族の人が選挙を経ることなく議員になっていました。
代議士の「士」は、侍という意味です。これも、戦前は女性に選挙権がなかったので、女性の国会議員は一人もいなかったことが関係しています。国民の「代」表として「議」論をする男性――こういう意味で「代議士」という呼称がついたのです。

対して、参議院は、衆議院の議論に「参」画して「議」論する院です。一般大衆に近い衆議院が主体であり、参議院は参画する立場にあります。

戦後、貴族院は参議院になって、参議院議員も選挙で選ばれるようになりましたが、言葉の使い方としては、そのまま歴史を踏襲しているのです。

「ねじれ」とは何か

この10年、国会で問題になっているものに「ねじれ」という現象があります。

この「ねじれ」というのは、**衆議院の多数を取っている政権与党と、参議院の多数を取っている政党が違う状態のこと**を言います。ただ実際には、**参議院で他の政党が一党で過半数を取るということは考えにくいので、衆議院で過半数を取っている政権与党が、参議院で過半数を取れていないという状態のことを指します。**自民党時代にも何度か「ねじれ」になったことがありましたが、今の民主党も2010年の参議院選挙で負け、「ねじれ」になってしまいました。

では**「ねじれ」が起きると何が問題なのか。多くの法律が成立しなくなります。つまりあらゆる政策が進まなくなる。**この「ねじれ」こそが、日本の停滞の原因になっているのではないかという意見もあります。

実は、日本国憲法をよく読むと、憲法を作った段階で、この「ねじれ」が起こることを予測していたのがわかる条項を見つけることができます。それは「衆議院の優越の原則」という条項です。

予算案、それから外国との条約に関しては、衆議院で可決されれば、参議院で否決されたとしても、30日後に衆議院の決議が優先されて、その法案は成立することになっています。これは「ねじれが起きたからといって、予算が成立しない、あるいは外国との条約が成立しないということは、国を危険にさらす由々しき事態だ。それは避けなければいけない」ということで、決められたものです。

ちなみにもう一つ、衆議院と参議院で決議が違った場合の特例があります。それは総理大臣の指名です。衆議院と参議院で、違う人を指名することになったら、衆議院の議決が優先されます。これも政治が停滞しないように作った約束事ですね。

予算の執行で難題が発生

しかし、現実というのはいつも予想外の事態を引き起こします。ねじれても予算は決まるように、せっかく憲法が手を打っておいてくれているのに、最近は予算を執行するのに非常に苦労しています。それはなぜか。

この話は、いまや1000兆円を超えてしまった「国の借金」と関わってきます。

実は、財政法という法律の中で、「予算案は借金して作ってはいけない」と決まっています。つまり、本来は赤字国債を出してはいけないことになっている。ところが、いまや赤字国債の発行なくして予算を編成することなどできません。そこで特例公債法案という「今回は特別に赤字国債を発行してもいいですよ」ということを決める法律を予算とともに毎年、必ず通しています。つまり、この特例公債法が成立しないと借金ができず、ひいては予算が執行できない。しかし、**特例公債法は普通の法律ですから、衆議院の議決は優先されません。衆議院と参議院の両方で可決される必要があります。これは憲法が想定していない事態です。**

実際、２０１１年は夏ぐらいまで特例公債法案が通りませんでした。２０１２年も同じような状況です。赤字国債の発行が認められていないまま、すでに予算執行は始まっています。万が一、お金が底をつく時までに特例公債法案が通らなければ、日本政府の機能は停止してしまいます。

日本政府の機能が停止するというのはどういうことを指すのでしょうか。

お金がなくなるのですから、当然、国家公務員に給料を払えなくなります。

これは意外と大変なことです。自衛隊員は国家公務員ですから、自衛隊員にも給料を払えなくなるわけです。そうすると、自衛隊員は全員自宅待機になってしまいます。万が一、国防上大変なことが起きても、それに自衛隊が対応できなくなるわけです。

警察官は地方公務員ですから働けますが、海上保安庁の職員は国家公務員ですから、自衛隊と同じことになります。巡視船で日本の領海を監視することができなくなりますし、そもそも燃料が買えませんから、たとえボランティアで隊員たちが集まってくれたとしても、巡視船を海に出すこともできなくなります。尖閣諸島に何かあっても、指をくわえて見ているしかなくなるのです。

どうですか。**特例公債法案という側面から見ると、衆議院と参議院が対立するというこ**

とは、国を大きな危機にさらす可能性があるということを意味するのです。

普通は、衆議院と参議院で議決が分かれたら両院協議会を開き、話し合って妥協点を探ることになっています。これは極めて理想主義的な考え方です。「国民から選挙で選ばれている政治家であれば、話し合って解決するくらいのことはできる」という理想を持って作られた仕組みですが、実際、それが行われる事態になると、とてもとてもそううまくはできていません。

そういう意味で今は、参議院が結果的に力が強過ぎるので、何らかの調整をする必要があるのではないかと政治学者の間でも議論されているところです。

「ねじれ」は民主主義につきもの

政治のねじれというものは、日本だけの特別な事態ではなくて、世界中で起きています。たとえば、アメリカでも、大統領選挙と連邦議会議員選挙というのは、同じ日に行われますが、別々の選挙です。ですから、連邦議会で多数派を取っている政党と、大統領に選ばれた人が所属する政党が、別の政党であるということはあり得るわけです。たとえば、オバマ大統領は民主党だけれども、連邦議会では共和党が多数を握っています。だから、民主党のオバマとしてやりたいことが議会で阻まれてしまう、ということがしばしば起きています。もしそうなってしまえば、その状況の中で妥協点を探りながら政治を進めていくしかない。大統領にとっては苦難の連続になりますが、ねじれを経験することによって、国民の合意を作っていく力が身につくという側面もあります。

フランスも、やはり大統領選挙と国会議員選挙は別々に行われますので、野党が議会で過半数を占めたことは、過去に何度もあります。大統領は首相を国会の第一党から選ばなくてはいけない。けれども、大統領である自分の所属する政党と、首相として選ぶべき人の所属する政党が違うことがある。これもねじれですよね。大統領の言うことを聞いて動くはずの首相が、別の党に所属している人で、政策的に対立していることもあるわけです。ちなみに、この状態をフランスでは「コアビタシオン（同棲）」と呼んでいます（168ページ参照）。

成熟した民主主義社会においては、ねじれで政治が混乱するというのはごく普通のことなのです。その中で妥協し、国民的合意を作り上げることができるかどうかで、政治家の本当の力が決まります。日本の場合は、自民党政権が長く続いたため、そういう「ねじれ」を経験したことがほとんどありませんでした。しかしこれからは、少なくとも一党長期政権の時代は終わったわけですから、どの党が政権を取っても、参議院でねじれが起こる可能性はあります。まさに、民主主義国家日本の政治家の力が問われているわけです。

首相がめまぐるしく代わるのはなぜ

ここ20年、日本では猫の眼のように、めまぐるしく首相が代わっています。これは何が原因で起きていることなのでしょうか。

自民党を材料に解説すると、自民党の総裁には2年の任期がありました。自民党が与党となり、自民党の総裁が日本の総理大臣を務めるとすると、総裁が代われば総理大臣も2年で交代しなくてはならなくなります。力のある人は再選されて任期が延長されますが、次の2年を加えても4年です。あの絶大な人気を誇っていた小泉純一郎氏も、自民党総裁の任期が来たから降りる、という形で総理も降りました。

実は、**総理大臣という役職には任期がありません。しかし、政党の総裁には任期がある。それゆえに起こっている現象**なのです。

一方、大統領には任期があります。アメリカの大統領は任期4年で、連続2期までです。ロシアの大統領も任期4年、連続2期まででした。プーチン氏はその2期8年が過ぎてしまったので、一度メドベージェフ氏を大統領に据えて、自分は首相になりました。その間に大統領の任期を6年にまで延長させてから、また大統領になりました。だから、プーチン氏は、あと12年大統領でいることができる可能性があるわけです。

このように大統領には任期があるけど、首相には任期がない。これは日本だけの話ではなくて、イギリスの首相も同じです。これにはもちろん理由があります。大統領の場合は、権力がとても強いのでいわゆる独裁者になってしまう可能性がある。だから任期を定めて強制的に交代するようにしています。一方の首相はたしかに大きな権力は持っていますが、首相を出している党が選挙で敗北すれば、必然的に退陣せざるを得なくなっています。

しかし前述したように日本の場合は、それぞれの政党の総裁としての任期があるので、そこが制約になってしまっています。

対策として、「次の選挙の結果が出るまで、首相は同じ人にすべきではないか」という考え方もあります。解散総選挙をして、勝った党の総裁だった人が総理大臣をする。次の選挙でまた勝てば続ければいいし、負ければ交代するということです。

これは一理あります。政党が勝手に決めた総裁の任期が切れたからといって、総理大臣を交代させるのは、政党の都合でしかありません。同じ政党の中に、総理大臣になりたい人がたくさんいる。だから、任期を短くしてなるべく多くの人に順番が回るようにしているに過ぎません。それで結果的に、総理大臣がコロコロ代わることになっているのはおかしい、という議論は確かにあります。

もちろん、政党の都合以外でも、自民党政権時代の末期や最近の民主党を見ればわかるように、国民からの支持を失うなどさまざまな理由で総理大臣は交代します。

日本の政治が一体となって、総理大臣を育てる仕組みを作る。それをしないと、いつまで経っても宇宙人のような人が首相になったり、期待してやらせてみたけど、実際なってみると「うわ、こんな人物だったのか」と驚いたりすることを続けることになる。

たとえば、特別授業・一で取り上げたアメリカ大統領選挙のように、時間をかけて総理大臣を選ぶ仕組みを作っておくだけでも、あきらかにレベルの低い人はふるい落とされますし、国民もいざ権力を握らせてから「どんな人かわかる」ということがなくなります。

日本の場合は、党の中でみんなから好かれていたりして、派閥のトップになれば、そのまま総理大臣になってしまうケースがあります。国民にとっては、その人のことをほとんど知らないのに、そのままトップになることができる。これは仕組みを考え直さなくてはいけません。

たとえば、中曽根康弘元首相（戦後歴代4位の期間、1982年11月27日〜87年11月6日内閣総理大臣に就任。国鉄分割民営化などの改革を行った）は、若いころから、「将来、自分が総理大臣になったらこれをしよう」とずっと大学ノートに書き連ねていたそうです。やりたいことをたくさん持った上で総理大臣になった。だから、いろんなことを実現させることができた。もちろんその実現させたことの内容については批判もあるでしょうが、少なくとも入念な準備をしてから総理大臣になりました。

その点、村山富市元首相（自社さ連立政権時代の内閣総理大臣。1994年6月30日〜96年1月11日就任。社会党委員長）などは、総理大臣になるつもりなど、これっぽっちもなかったわけです。議員も引退するつもりだったのに、党の都合でもう一期だけということで出馬したら、委員長もやらされることになった。そうしたら総理大臣にまでなってしまった。つまり、全然準備もしていないし、総理大臣になったとしてやりたいことが何にもない人が突然、なってしまったわけです。

これはさすがに極端な例ですが、最近、コロコロ代わった人たちを見ても、総理大臣になるための準備が足りない、という点では同じです。日本政治の大きな問題点です。

連立と大連立の違い

２０１２年8月10日、消費税増税法案が参議院本会議で民主、自民、公明の３党が賛成し、可決・成立しました。

今、日本の国政史上非常に珍しいことが起きています。過去の消費税増税というのは、まず与党が国会で多数を占めている状況において、野党の反対を押し切って可決させてきました。３％で導入した時も、それを５％にした時も同じでした。ところが今回は、民主党の主流派と自民党、公明党の議員が「増税は必要だ」という意見で一致。しかし、その一方で、与党の一部が反対、与党は分裂してしまいました。これは非常に不思議なケースです。

本来であれば、総裁が決めた方針なのだから、与党議員はみんなで一致団結して応援しなくてはいけないのに、数十人も造反者が出ました。一方で野党は賛成。これは、端的に言って、政党政治が成立していないという状況です。

民主党の長老、渡部恒三氏は、造反者が出るという話を受けて、「どうぞ反対してください。そのほうがすっきりしていいですよ」と言っていました。つまり、今の日本の政党は、与党と野党で政策の対立軸を作れない。それはつまり、国民が選挙においても、あるべき国の姿を政党を通しては「選べない」ということを意味します。

今回の事態を受けて、将来的には事実上の自民・公明・民主主流派による連立政権、事実上の「大連立」が成立する可能性も出てきました。

ちなみに、連立と大連立はどう違うかというと、**一般的な「連立」は、単独では過半数を維持できない政党が、ほかの政党と組んで過半数を確保することを意味します。**

一方の**「大連立」というのは、国会の中で非常に大きな勢力を持ち、本来は与党と野党で対立する二つの政党が一緒になって連立を組むことによって国会の中で3分の2以上の圧倒的な多数派を占めることを言います。**また、通常であれば国民が反対するような政策を押し切るために作られる連立、それを大連立ということもあります。「挙国一致内閣」などと呼ばれる政権のことです。

しかし、この大連立が果たして国民のためになる政策を生み出せるのかどうかはわかりません。民主党の現状を見ている限り、また国民が裏切られたと感じるような事態を引き起こすような気もしますが、どうでしょうか。

小沢一郎氏強制起訴に見る「検察」の闇の部分

2011年1月、小沢一郎氏が政治資金規正法違反で強制起訴されたのは、記憶に新しいでしょう。その後、担当検事が捜査の途中で虚偽の捜査報告書を作成していたことがわかり、検察は国民から批判を浴びました。

この事件からは、立法・行政・司法の三権分立のうち、司法の重要な一角を担う「検察」が孕んでいる問題点を浮き彫りにすることができます。

まず検察を考える上で重要な点は、「彼らは何でも捜査することができる」ということです。これは法律で決まっています。特に東京地検特捜部は、検察の中でも部署の枠組みに関係なく何を捜査してもいいということになっている。

警察であれば、地域ごとに分けられた管轄があります。そして目の前で犯罪が発生したり、管轄内の住民から「事件がありました」と訴えがあったりすれば、そこで捜査を開始する。また、部署によって窃盗事件を捜査するのか、暴力団事件を捜査するのかも違っています。

しかし東京地検特捜部の場合は、誰からも訴えがなくても、自分たちで犯罪を探してくることができます。

するとどうしても「大物を捕まえたい」という意識になります。検察官として歴史に名を残したい。あいつは優秀だったと言われたい。東京地検特捜部の部長にもなれば、どうしてもそういう意識が湧き上がってくる。

では、検察にとってもっとも大きな仕事は何か。それは政治家を逮捕することなのです。政治家を逮捕することを「バッジを挙げる」と言い、これは大金星とされています。そこに、大物政治家である小沢一郎がグレーな存在として挙がってきたとなれば、それは功名心に逸《はや》ります。つまり、この小沢一郎強制起訴は、「事件があって、それを捜査する」のではなくて、「検察が手柄を挙げたい。事件になりそうなものを探す」という手順になってしまったという問題があるのです。

また、これは「国策捜査」ではないか、という疑いもあります。国策捜査とは、検察が政治や世論の動向を見て、「まずは訴追ありき」で捜査をすることを指します。つまり検察の人気取りのために、無理やりに評判の悪い人を捕まえてしまうということです。

1999年、バブル崩壊後の大量の不良債権で経営が行き詰まった日本長期信用銀行の経営陣が捕まったのも、まさに国策捜査でした。当時、日本長期信用銀行が大量の不良債権を処理できなくなり破綻したことで、国民の税金を使って経営を立て直すことになりました。しかし、国民としては納得できない。なぜ普通の会社が倒産しても助けてくれないのに、銀行の経営が怪しくなると、われわれの税金を使って助けるんだ、という不満の声が日本中で上がりました。「長銀をこんな状態にしたのは経営者に責任があるんだ」という世論が盛り上がり、マスコミもそれに乗って長銀の経営陣を徹底的に叩いたわけです。

そうした状況を見ていた東京地検特捜部が何をしたか。長銀の経営陣を「粉飾決算容疑」で逮捕して裁判にしたわけです。検察は「よくやった」と世論やマスコミから褒められました。裁判の結果が出るのは何年も先ですから、裁判の結果がどうあれ、ほとんどの国民は忘れている。つまり、たとえそれが無罪で終わったとしても、「よくやったよ」という評価だけが残ります。今回の小沢氏のケースを見ていると、検察の捜査がセンセーショナルな週刊誌の編集方針と同じになったということです。世の中の動向を見て、先に読者ウケしそうな見出しとストーリーを編集部が決める。そのあとで、そのストーリーに合致するような証拠を探しに記者が取材に行く。言うまでもありませんが、これはすごく怖いことです。

結局、この長銀の裁判では経営陣に無罪が言い渡されました。

また、2009年6月、厚生労働省雇用均等・児童家庭局長の村木厚子さんが虚偽公文書作成の容疑で逮捕され、結局、裁判で無罪になったケースもあります。このように無理やりの捜査がまかり通ってしまっている現実があるのです。

東京地検特捜部が世間から称賛をほしいままにしたのは、ロッキード事件で田中角栄元首相を逮捕したころのことでした。当時の東京地検特捜部には、「捜査の鬼」と言えるような人ばかりがいました。検察官というと司法試験合格者の中でも優秀な人間の集まりですから、普通は東大法学部卒業の人が多いのです。ところが東京地検特捜部だけは、中央大学法学部だったり、岡山大学法学部だったり、東大以外の人が多かった。つまり、本当に「捜査」をするのが得意な人だけが集まっていたのです。

しかし、次々に戦果を挙げるうちに、そうした体質にも変化が訪れます。東京地検特捜部の人間は優秀であるということが検察内部にも世間一般にも知られるようになると、今度は東京地検特捜部に一時在籍したということで箔がつくようになる。いわゆるエリートコースになってしまいました。捜査能力はなくても、箔をつけるために出世しそうな人を送り込む傾向も出てきました。捜査能力が落ちてしまったことは言うまでもありませんね。

金曜夜の東京駅・羽田空港は国会議員だらけ

ところで、国会が始まると、政治家たちはどんな生活を送っているのか、ご存知ですか。国会の審議は、通常、火曜日から金曜日まで行われます。この間は、国会議員たちは国会に出席。自分が所属する委員会に出席したりします。そして、**金曜の夕方に国会の審議が終わると、選挙区へ帰ります。土日月と地元を回って、月曜の夜か、火曜の朝にまた東京へ戻ってくる。これをもって「金帰《きんき》火来《からい》」と言います。**

ですから金曜日の最終便の時間になると、羽田空港は全国各地に散らばる国会議員だらけです。また、新幹線で帰る議員もいますから、夜の8時前後の東京駅の新幹線グリーン車乗り場には、国会議員が大勢います。

月曜日に審議をしないのも理由があります。自民党時代はとにかく官僚主導でしたから、内閣が閣議をする前に必ず事務次官会議をしていたのです。閣議で何を話すべきかを前日に霞が関の官僚たちが集まってすべて決めてくれていたのです。

日曜日は休日ですから、この事務次官会議を月曜日に開く。そこで決まったシナリオに基づいて、翌日の火曜日に閣議が開かれる。それに合わせて、国会審議なども火曜日から始まるというわけです。

国を左右する大事な案件を取り扱っているときは、土日も通して審議をすればいいではないかと思う人もいるかもしれませんが、土日に議員がそれぞれの地元で支持者たちと会うのは大事なことです。実際、土日をはさんで、国会の雰囲気が突然変わることがあります。議論が分かれる問題について、議員たちが支持者たちに会うことで、それぞれ「けしからん」とか「まあ、仕方ないよ」とか、いろいろ言われてくる。それで硬直していた事態が動くこともあるし、うまく民意の反映にもつながってくるわけです。

政治の日程に関するおまけ話を一つ紹介しましょう。選挙というのは、験を担いで必ず「大安」の日曜日に行われます。「大安」の日曜日というのは、1年のうちにそれほど数はありませんから、いざ選挙が近くなってくると政治記者や候補者たちは、「大安」や「仏滅」といった情報が入ったカレンダーと睨めっこをしながら選挙のスケジュールを予想します。日本ならではの現象です。

国会の1年はどうなっている?

国会には3種類あります。通常開かれる**通常国会**。臨時に開かれる**臨時国会**。特別に開かれる**特別国会**です（もう一つ、衆議院の解散中に緊急事態が発生した場合に参議院議員が集まって物事を決める参議院の緊急集会というものもあり、これまで1950年代に2回、召集されたことがあります）。

通常国会は年に1回、開かれます。以前は年末に召集されていましたが、最近は1月に召集され、通常の会期は6月までの約半年間です。

128ページの図は、政府が通常国会に提出する国の予算案が、どのようなプロセスを経て成立するのかをまとめたものです。原則として衆議院と参議院の両方で可決されて成立するのは、法律が決まるのと同じです（109ページで触れましたが、予算の場合は衆議院の決議が優先されるのでしたね）。しかし、予算案ができるまでの過程をみてください。概算要求基準といって、各省が財務省に予算要求するさいの「ルール」を決めるのが8月で、それから政権与党の意見も聞きながら、年末に政府案が決まるのですが、実に5カ月間もかかっています。国会の審議に3カ月程度かかることを考えると、ほぼ1年中、予算について何らかの動きがあることになります。

臨時国会は、文字通り、臨時に開かれる国会です。大抵、秋ごろに召集される例が多いようです。

特別国会の「特別に開かれる」というのは衆議院選挙の後に開かれる国会のことを指します。ここで新しい議員たちが集まってきて首班指名をする、つまり内閣総理大臣を指名するわけです。

2012年8月現在、野田佳彦氏が首相を務めていますが、もしこの後、解散総選挙があり、また民主党が多数を維持することができて、さらに特別国会で野田さんがもう一度、内閣総理大臣に指名されたとします。すると、第2次野田内閣ができることになります。もちろん選挙で負けてしまえば、それっきりです。

ちなみに、内閣改造というのは、「大臣を入れ替える」ことを指します。選挙でもう一度、総理大臣に選ばれたら第2次○○内閣となり、そこでまた内閣改造が行われれば、第2次○○改造内閣という言い方になるのです。

ニュースがわかる国会スケジュール

内閣での予算編成の流れ（2012年）

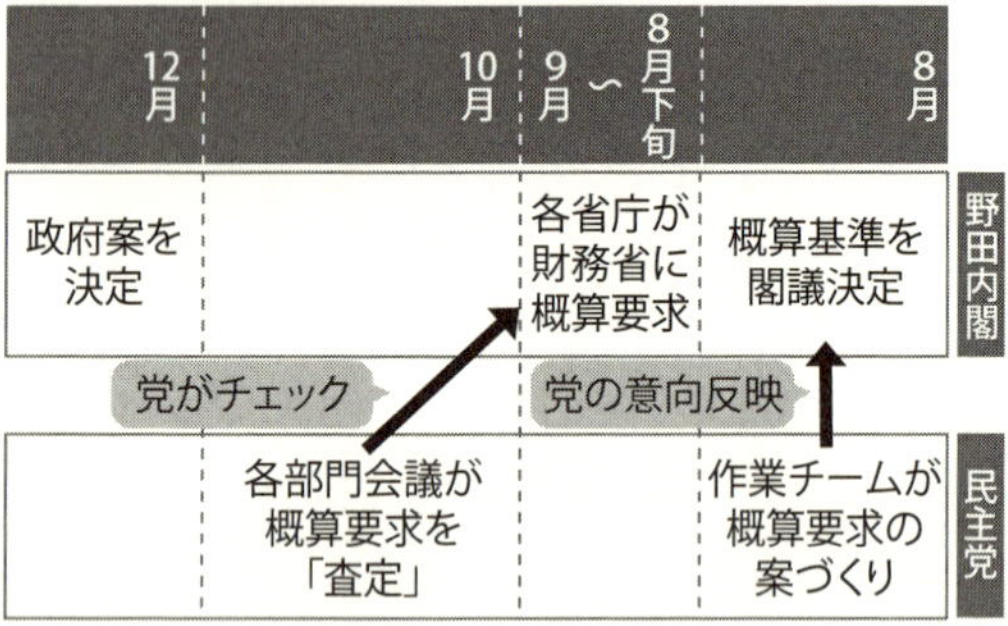

通常国会での予算編成の流れ

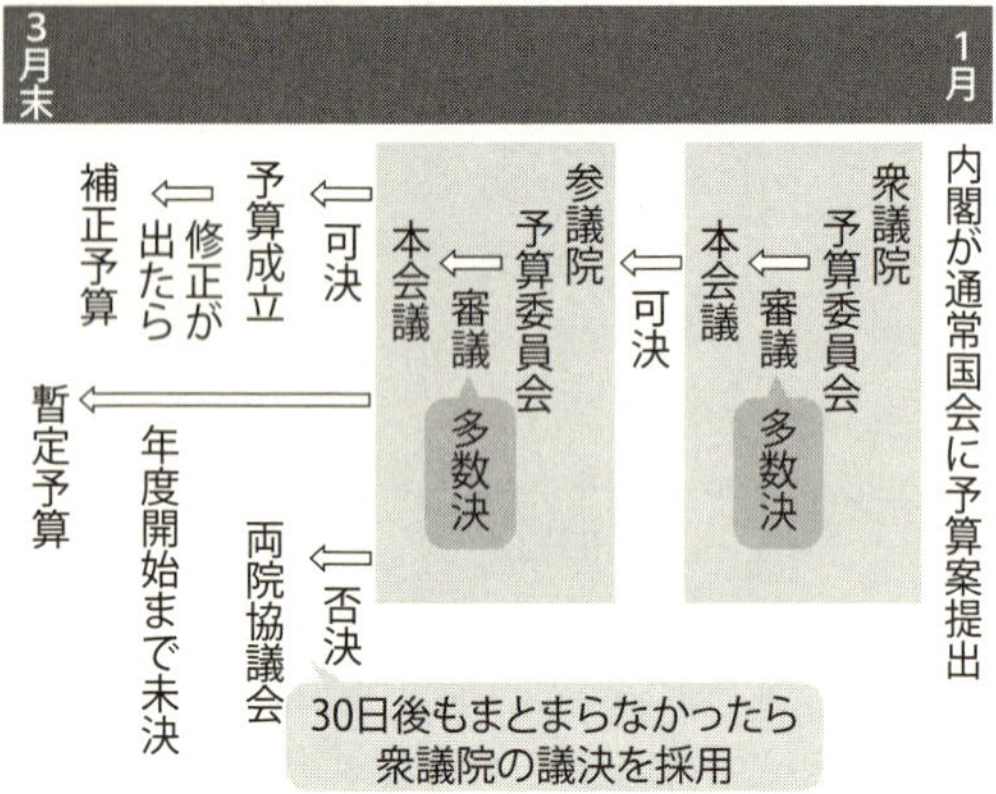

通常国会（常会）

来年度（その年の4月からの1年間）の予算や法律について審議します。6月20日頃が会期末。延長は1回までできます。

特別国会（特別会）

衆議院の解散総選挙があったときに開かれるのがこれ。解散の日から40日以内に衆議院の総選挙があり、さらにそれから30日以内に開かれます。それから、新しい内閣総理大臣を決めます。延長は2回まで。

臨時国会（臨時会）

緊急で審議しなければならない法案があったときや成立した予算を修正する（補正予算）とき、衆参どちらかの総議員の4分の1以上が要求した場合に開かれます。延長は2回まで。

もし、衆議院の解散中に何かあったら……

参議院の緊急集会

衆議院の解散中に緊急事態が起こった場合、参議院議員のみ集まります。ここで決まったことは、その後に選挙で選ばれた衆議院議員によって承認されれば成立します。

国会議員は逮捕されない？

国会議員にはいくつかの特権があります。新幹線も飛行機も乗り放題というのも有名ですが、もう一つ押さえておきたいことに、**「不逮捕特権」**というものがあります。これは**国会の会期中は逮捕されない**というものです。

たとえば、消費税増税法案が1票差で可決されるか、されないかというときに、**1人が逮捕されるとそれで法律が全部ひっくり返ってしまう可能性がある。そうした事態を避けるために付与された特権**です。

どういうことかわかりますか。

特に戦前は、警察というのは極めて政治的で、政治家の言う通りに動いていましたから、その気になればいつでも、政府の方針に反対する国会議員を逮捕できました。これでは、まともな政治はできないということで、国会議員は国会が開いている限り、逮捕されないということになったのです。

では、もし捜査機関がどうしても逮捕したいというときはどうするか。その場合は、衆議院議員に対してであれば、衆議院の議長に、参議院議員に対してであれば参議院の議長に、逮捕許諾請求を出します。「逮捕するのを許してください」とお願いするわけです。もし、衆議院なり、参議院なりの議員たちが本会議で多数決で承認すれば逮捕ができます。それがない限りは、むやみやたらに逮捕することはできません。ただし、現行犯は別です。2005年に、当時の衆議院議員が、国会会期中に、六本木で酔っ払って通りかかった女性に抱きついて逮捕されたことがありました。

また、国会の中で現行犯、たとえば、議論をしている相手を殴ったりしたらどうするか。その場合は、まず衛視という国会の中の警備員が取り押さえます。原則として、国会の中に警官は入れません。特別に衆議院議長、参議院議長が要請をして警官隊を中に入れることはありますが、基本は、警察は国会の外側を警備して、中は衛視が警備する。もし現行犯であれば、その衛視がまず取り押さえて、その後で警察に引き渡すことになっているのです。

四限目

官僚

——表で裏で政治家を操る

これまでは、政治家を中心に政治の構造を解説してきましたが、その政治家を表に影に支える存在として、官僚がいます。

実は、官僚たちは官僚たちで、「自分たちが国を動かしているんだ」という誇りを持って働いています。彼らはとても高い能力を持っていますから、うまく使いこなせば、国のためになる。しかし、ヘソを曲げさせてしまうと国が動かなくなる。

官僚の役割を知ることで、日本の政治の状態が見えてきます。

国を動かしているのは官僚たち？

自民党から民主党に政権が移ったことで、「官僚主導」から「政治主導」に変わったと言われています。

しかし、これは二大政党制で「大きな政府」と「小さな政府」を国民が選択するのとはわけが違います。一限目でも述べたように、民主主義国家にとって、国家の運営が「政治主導」で行われるのは当たり前のことです。官僚は国民が選んだ存在ではありません。官僚たちは、選挙ではなく専門の採用試験を通ることで採用されますが、それはつまり官僚たちが官僚を選んでいるに過ぎません。

欽定憲法（100ページ参照）である大日本帝国憲法が日本の根本であった戦前であれば、これで良かったとも言えます。国家公務員試験を通った人は、言い換えれば、「天皇に仕える官僚」の資格を得たということだからです。戦前は、天皇が国家元首として国の運営にすべての責任を持ち、官僚はその手足として国家を動かしていました。天皇が一人でできることには限界がありますから、実質は天皇から認められた官僚が国を動かすことになるわけです。

しかし戦後、民定憲法（102ページ参照）である日本国憲法の時代になると、国民が選んだ政治家が国の運営に責任を持つことになります。**官僚はあくまで政治家を助けるための存在に過ぎなくなります。**

このように戦前と戦後では、国家運営の方法がガラリと変わったのですが、官僚の意識は、戦前のまま変わりませんでした。自民党政権時代は、政治家もそれを求めていたので、問題にならなかったのです。

審議会って何するところ？

もう少しだけ「官僚主導」のカラクリについて説明をしましょう。

政治家自身も官僚に丸投げをするとなると、政治主導は「建前」だけで終わってしまうことになります。さすがにそれではマズいということで、官僚たちは自分たちが政治を動かすのだけれども、表向きは政治家を立てるという方法に磨きをかけることになります。

具体的に言うと、「オプション（選択肢）をいくつか作ります。あとは政治家の皆さん、方針を決めてください」と、選んでもらうわけです。その時に、ちょっとした工夫をします。たとえば、「明らかに優れている案」と、「明らかに無理な案」を混ぜて出す。そして官僚の思う通りの案を政治家に選ばせるわけです。一度政治家に選んでもらえれば、「政治家がお決めになったことですから」と大義名分がつく。

けれども、官僚は裏で舌を出しています。自分が考える通りの政策が実行できるわけですから。もし、官僚が「結局、自分たちは駒に過ぎないからなあ。政治家の言いなりにしか動けない」などと文句を言っているのを聞いたら、それは「建前だ」と思ってください。実は、政治家を操って手のひらで転がしているのは官僚だからです。

官僚が材料を差し出して、選んでもらう相手は政治家だけではありません。実は私たち国民相手にも同じことをしています。

「有識者会議」や「○○審議会」などといった言葉を聞いたことがあると思います。ちなみに経済産業省のホームページをのぞいてみると、経産省だけで今、12個の審議会があります。ずいぶんたくさんだと思いませんか。

しかし多くの国民は、この審議会が何をしているところなのか、誰が委員として選ばれているのか、政策の実現にどれくらいの影響力があるのか、あまり知られていません。実はこの**審議会こそ、官僚主導を支える重要な仕組みの一つ**なのです。

審議会は一言で言えば、2012年に話題になった消費税増税や電気料金の値上げなど、**あらゆる政策を進めるにあたって、広く専門家から意見を集めて、参考にしようというのが目的**です。

この審議会は、法律的な根拠に基づいて開かれるものと、大臣の諮問機関のような形で開かれるものの2種類あります。たとえば、「中央教育審議会」は法令で設置が義務づけられています。これとは別に、いじめが世の中で問題になると、「いじめ問題について考えをまとめておきたい」といった場合に、新たに私的諮問機関を作る場合もあります。

どちらの場合も、審議会のメンバーは基本的には役所が選んでいます。総理大臣や大臣が主催するものについては、その大臣が「あんた、やってよ」と直接知人に頼んでメンバーに入ってもらうこともありますが、基本的には役所が選びます。

役所が独自の基準で、審議会のメンバーを「選ぶ」ということはどういうことか。つまりこれは、「審議会」というのは名ばかりで、委員を選ぶ段階で、その審議会の結論は決まっているということを意味します。役所が前もってだいたいの落とし所を決めておく。その結論に誘導してくれるような人に審議会のメンバーに入ってくださいと頼むわけです。

もちろんあまりにもあからさまでは「審議会の意味がない」と批判されてしまいます。だから、推進派と反対派、そして中立派がバランスよく揃うようにはします。けれども、反対派といっても、極端な人は呼びません。それをしてしまうと、審議会が空中分解してしまうから、原理主義者のような人は外しておく。推進派の問題点を指摘することはするけれども、最終的には「まあ、いいでしょう」と妥協してくれるような人を選ぶわけですね。

では、なぜこのような「結果の決まっている」審議会を開く必要があるのか。その理由は、官僚が選挙で選ばれた存在ではない、ということと関係しています。

戦後の日本は官僚が動かしてきた。これは事実です。しかしそうは言っても建前として、「政治家が考えている通りに動いています」としなければならなかった。そしてさらに、「広く国民の意見を聞きました」という形にもしなくてはならなかった。いくら官僚に国を動かす能力があると言っても、独自に進めてしまうと、「何の権利があって、そんなことを決めているんだ。役人が勝手に動くなよ」ということになる。そうならないように、**「有識者の意見をきちんと聞きました」という形を取りたい**わけですね。審議会というのは、そのためのものなのです。

たとえば、「電力料金の値上げ」をしたいとします。そのときに、官僚が独断で決めてしまうと、国民から反発が出る。そこでまず、官僚たちがまとめた考えや方針に賛成してくれる政治家の先生を集める。そこで「進めていいよ」となれば、幅広く意見を聞いたと国民に胸を張って言えるように、審議会を開く（実際の委員会の名前は「電気料金審査専門委員会」と言います）。

審議会を経て、「ではこういう方向で進めましょう」と決まったところで、官僚が答申のまとめ案を書きます。それを審議会のメンバーに渡して修正してもらう。まあ、修正すると言っても、ほとんどは字句の修正ぐらいしかしません。答申が完成したら、総理大臣や大臣に手渡します。

ちなみに大臣に手渡す前の段階で、官僚は、記者クラブで事前レクチャーをします。「○月○日に○○審議会はこういう内容の答申を行政に提出します」と記者たちにレクチャーをする。記者クラブに属しているメディアは、答申の提出を受けて記事を作るのではなくて、あらかじめ知らせてもらっていて、事前に原稿を書いておく。答申が提出されたところで記事を発表しているのです。

なぜ官僚がこのようなことをするのか。誤解されたままの記事を書かれたくないからです。記者たちも詳しい専門家ばかりではありません。だから官僚側が、「この答申のポイントは……」と説明するわけです。こうして官僚たちは、世の中を動かしていくのです。

審議会のメンバーはどう決める？

この審議会は、日本政治の「建前」が凝縮しているところですので、せっかくの機会ですから、もう少し解説を続けます。

では、具体的にどのようなメンバーが審議会に選ばれているのか。

経済系のテーマであれば、経済界に影響力のある人を入れておく必要があります。消費者団体の代表も呼ぶ必要があるでしょう。消費者団体の中でも激しい運動をしている組織ではなく、穏健な団体を呼ぶことになります。

またテーマによっては労働組合、今で言えば連合の代表も呼ばれます。そして、大学の先生。いわゆる学識経験者ですね。それからマスコミです。大手新聞社の論説委員を呼ぶのが一般的です。こうなると新聞記者は人質の役割を果たしてくれます。審議会が答申を出したときに、自分の社の論説委員や記者が入っていたら、その新聞社は真っ向から批判できませんね。だから人質のために、重要な審議会には必ずどこかの新聞記者を入れておきます。

官僚たちは、「こんな話をしてもらいたい場合はこの人に頼もう」というリストをあらかじめ作っています。書籍や雑誌記事、新聞のインタビューなどを読んで調べておくわけです。最初から大きな会議に呼んで、突飛な発言をされても困るので、審議会の中でも専門の分科会など小さな会議に呼んでみる。そして変な人ではないかどうかをチェックしておく。

かつて私もある役所から声をかけられたことがありました。審議会ではなくて、分科会のメンバーでした。もちろん断りましたけれども、もしそこで出席して穏当なことを言っておけば、その役所から覚えめでたくなって、その後はさまざまな委員会に呼ばれたかもしれません。

またその審議会を開いた役所のOBで、今は民間会社に勤めていたり、大学の先生をしていたりするような人を1人入れておいて、議論の中身を誘導してもらうことも多いようです。

一つ、具体的に中央教育審議会のメンバーを見てみましょうか。

この中央教育審議会は、数年ごとに委員が選ばれて、「これからの10年、日本の教育はどうあるべきか」といったテーマについて議論をする会です。かつて「ゆとり教育をやるべきだ」と決め、その後、「ゆとりは駄目だ。やはりある程度は詰め込まないといけない」といったことを決めたのも、この審議会です。

会長は、新日鉄の会長です。そして副会長は、慶應義塾大学の前塾長。ここまでは定跡通りです。経済界の人間をトップにして、副会長に慶應か早稲田の学長を置く。東大の総長もメンバーに入っています。ここはたいてい京都大学の学長と交互で入ってきます。

それから、PTAの関係者。さらに教育界に影響のある人のなかで、文科省に覚えめでたい人。

そして地方の人も入れておきます。今回は岡山県知事と青森県の教育長、そして長岡市長ですね。みんな忙しい人です。東京に出てきて真剣な議論などできるはずがありません。いかに名前の並びのバランスだけで考えているかがわかるでしょう。あとはスポーツ選手と、いわゆる文化人ですね。それに元日経新聞記者です。

ちなみに、審議の内容は議事録に記録されるのですが、この議事録を作るのは官僚です。だから、ウソではないけれども、微妙に表現は変えたりすることはあります。激しく反対した人の話を丸めた表現で1行にしてしまったりする。

謝礼については、1日8000円から1万円ぐらいの日当が出ているはずです。ただこのくらいの金額でもなぜ出たがる人がいるのかというと、ジャーナリストや大学の先生からすると、普通では手に入らないような資料を大量にもらえるからです。こちらから「こういう資料が欲しいんだけど」と頼むと、事務方がすぐに届けてくる。その魅力(本当は「魔力」かもしれませんが)に勝てずについ委員になってしまう先生も結構いるようです。

どの程度の時間を取られてしまうかは、審議会のテーマにもよりますし、自分のやる気にもよります。最初に顔合わせをして、それぞれ委員が意見を述べて、その後、もう一度くらい集まって話したら、「あとは事務方でまとめさせていただきます」というものもあります。それで官僚が叩き台を作って、みんなでそれを確認しておしまいというものもある。

また、反対派で呼ばれているのに自らの意見を通そうとすると、官僚が作る原稿の段階から細かくチェックすることが必要になります。そうすると、大変な時間が取られる。一方で、ただ会議に顔を出すだけ出して、あとは事務方にすべてお任せして、彼らの作った原稿を見て「うん、いいでしょう」で終わらせる人もいます。

2012年6月1日の朝日新聞一面に、「経済産業省は、以前から電気料金の値上げは9月1日からとするという日程表を作っていた」という記事が掲載されました。つまり、電気料金の値上げについて、専門家が議論をしたり、資料を集めたりしている一方で、官僚たちはそれらの審議を飛び越して、結論を決めていたというわけです。

経済産業省に資料があって、そこには「大飯原発の再稼働を決めるためのシナリオ」が書かれていたそうですが、別に驚くことではありません。**あらゆるシナリオを作っておくのが官僚の仕事でもあります。**

彼らの問題意識は、自分たちが作った無数のシナリオの中から、どうやって自分たちがもっとも良いと思うものを実現させるのかにあります。そのときに、絶対に必要なのが

「いろんな国民の意見を聞きました」ということなのです。

国民の顔を立てる、国民から選ばれた政治家の顔も立てる。その中で、どこを落とし所にするのか。そこに官僚は知恵を絞るし、全力を尽くすのです。たとえば、公式の場で有力政治家や名のある人が官僚の考えている政策に批判的なことを言ったとします。すると、その日の夜には、官僚から「先生、一部にちょっと誤解があるようですので、ご説明に上がります」と連絡があります。

また答申の前文には必ず、政治家の言葉をちりばめる。こうして「政治家のおっしゃる通りにしました」と見せかける。しかし結局は自分たちのやりたい方に引きつけていく。これは本当に巧みです。審議会というのは、まさにそのための舞台になっているのが現状ですね。

政治主導は可能なのか

日本最大のシンクタンクはどこか。そう聞かれれば、やはり「霞が関」と答えるしかありません。自民党が長期政権時代、その知恵袋としてきたのは、まさに霞が関の官僚でした。それをもって「官僚主導」とも言われてきたわけです。

日本の政党はこれまでずっと政策シンクタンクを作ってきませんでした。もちろん自民党寄りの保守的なスタンスで政策を考える集団などはいくつかありますが、党として本気で取り組んではこなかった。それは、情報収集から法律案作成まで、霞が関に丸投げすればコトが足りていたからです。

すると、霞が関は霞が関で、自分たちにとって都合のいいように動くことになる。政治家のために働いているように見せかけて、実は政治家を利用しているようになる。さきほどまで解説してきた通りですね。そうしてふと気がつくと、日本は官僚主導の国になっていました。

これに対して、民主党は、これからは「政治主導」で行くと宣言しました。このこと自体は素晴らしいことです。民主主義国家として、当然のことともいえます。「官僚は国民から選挙で選ばれた存在ではない。選挙で選ばれて政治に責任を持つのは政治家である。だから政治主導で、政治を取り行うべきだ」というのは、まったくその通りです。

けれども、不幸だったのは「政治主導」という言葉が一人歩きをしてしまったことです。そして「大事なことについては官僚にはタッチさせない。すべて政治家が決めるんだ」と政治主導という言葉を間違った方向に解釈する形で進んでしまった。

政権交代の初期、たとえば厚生労働省でいえば、大臣になった長妻昭さんと副大臣、そして政務官の3人だけが大臣室に集まって「さあ、どうしよう、こうしよう」と議論をするようなことになってしまった。本来であれば、大臣は大きな方針を決めて、あとの具体的な話は、省庁の課長や局長レベルに任せればいいのです。けれども、あらゆる仕事を3人で抱え込むようにしてしまい、結局、物事がなかなか進みませんでした。

本来の政治主導は、政治家がすべてを動かすということではありません。政治家の仕事は「大方針を決める」ことです。そして後は官僚たちに任せる。これまでの自民党政権時代は、その「大方針を決める」ことまで官僚に丸投げして、自分たちは政権を維持することだけに集中していたのが問題だったのです。

「政治家がすべてやる。お前たち官僚は、ただ言われたことだけをやっていればいい」となれば、官僚のやる気もモラルもすっかり落ちるのも当然です。**実際、民主党政権になってから、官僚たちはものの見事に「指示待ち」の態度を取るようになりました。**これまでは、何か有事のときには、自分たちの頭で考えてどんどん対応していた。けれども、今は「うっかり動くと怒られるだけだ」と思っているのか、何もしなくなってしまった。そこで政治家が的確な指示を出し続けられればまだいいのですが、民主党の政治家はそれもできていない。結果として、日本の政治が停滞してしまったのです。

典型的なのは、2011年の東日本大震災を受けた後の行動です。自民党政権時代であれば、このような国家の一大事には、まず官僚が自分から動いたはずです。「政治家は頼りない、とにかく自分たちで何か応急処置をしよう」と一挙に動いた。ところが、「指示をされるまで動いてはならない」とされているから、まったく動きませんでした。

菅内閣もパニックになっていて、何にも指示ができない。指示が出なければ、官僚は動かない。こうして国が機能しなくなったのです。数カ月経って、「さすがにこれでは駄目だ」ということで官僚が動き出し、ようやく復興がスタートしました。

野田佳彦内閣になってからは、「官僚は使わなければいけない」ということにやっと気がついたようですが、まだ政治家と官僚の本来の姿を見つけることはできていません。

この本でも述べてきたように、政治家は選挙で選ばれているがゆえに強い力を持っています。けれどもその一方で人気取りに走りやすい。その点、官僚は、「選挙で選ばれていない」という意味で、国民に対して責任を取ることはできませんが、人気取りを考えずに国家のことをゆっくり考えることができます。そのベストミックスが、これからの国家運営では求められていくはずです。

客観的に見て、日本の官僚は非常に優秀です。彼らにやる気になってもらうのも、政治家の重要な仕事です。それなのに、政治家が自分たちの人気取りのために「官僚叩き」をしているようであれば、官僚たちはやる気を失います。

これは国民レベルで考えるべき問題だと思います。人気取り政治は「ポピュリズム」(六限目参照)にも通じますが、政治家が官僚を叩くのは、実は国民が「官僚を叩いてほしい」と思っているからこそでもあります。

だから、**国民が官僚を叩くのではなくて、うまく使っていこうと考えるようになることが大事**です。

ちなみにアメリカには、日本のように優秀な官僚はいません。大統領が代わると、トップ5000人が一気に入れ替わる。それぞれの役所の、日本でいう事務次官から局長クラス、あるいは課長クラスまで全部入れ替わります。そのような職場ですから、その役所に最初から就職をした人は、幹部にはなれません。日本の官僚がアメリカのハーバード大学に留学生として派遣されると、極めて優秀で驚かれる。「国家公務員なのに、君はどうしてそんなに優秀なんだ。なぜ民間企業に勤めないんだ」とよく言われるそうです。

では、アメリカでは誰が大統領の知恵袋になっているかというと、大学教授やシンクタンクで政策研究をしている能力の高い人を引っ張ってきています。

彼らは大統領から直接選ばれるので、大統領に対して忠誠を誓いますし、体制の中で全力で働くわけです。

政権が変わったら、彼らもその職を離れます。「それは大変だ」と思われるかもしれませんが、大丈夫。大統領の下で全力で働いていると、次の就職口もまた見つかるようになっているのです。能力が高いと評価されれば、民間の企業から重役として高い給料で呼ばれたりする。あるいは、シンクタンクに戻ったり、大学教授になったりする。そして、また政府の幹部になれる次の機会をうかがうわけです。それぞれ専門的な知識を持った人たちが入れ替わりながら活躍をする仕組みになっているのです。

アメリカの事情はさておくとして、官僚という優秀な人材が日本には大勢いるのですから、それを使わない手はありません。評判も悪いし、給料も下がっていくとなれば、優秀な人間は官僚になることを避けるようになります。民間に行ったほうがいいやとなるわけです。これは長い目で見ると、国民にとって大変な損失です。

ただ、官僚に頼ってばかりではいけないのも事実です。それぞれの政党は自前のシンクタンクの充実を図りながら、官僚にもうまく働いてもらう形を模索してほしいものです。

官僚の悪いクセ

ところで、こんなに優秀で国のことを考えている官僚が叩かれるのはなぜでしょうか。

それは、**普段は国のことを考えている官僚も、ある条件を満たすと、突然、自分たちの利益のために動くようになってしまう**からです。

その条件とは、財務省と農水省、財務省と厚労省など、省同士の利害が対立する場合を指します。財務省は財務省の理論で動き、他省は他省の理論で動いています。それでうまくいっているときはいいのですが、それがガチンコでぶつかるときがある。**いったんぶつかってしまうと、彼らは国のことは脇に放り出して、自分の所属する省庁の権益を守るために働くことになってしまう**のです。自分の省の利益ですから、これを「省益」と呼んでいます。

「省あって国なし」というのは、こうした現象を指す言葉です。これはもう戦前から変わらない「官僚の悪癖」です。戦前、日本の陸軍にとっての敵は、アメリカ軍ではなくて日本海軍だと言われたほどでした。日本の海軍にとっての敵は、アメリカ軍ではなくて陸軍でした。アメリカと戦う前に、陸軍と海軍が戦っていた。これでは勝てるはずがありません。平成時代の省庁同士の争いを見ていると、この感覚は今も続いています。

最初は、みんな理想に燃えて、「国家のために尽くす」「国民のために尽くす」という気持ちで官僚になる。ところが、その省でずっと働いていると、いつしかその省にとって、何が最善かを考えることになってしまう。その省の利益になることをした人が、評価されて出世するのですから、ある意味では当然です。そうして、国のためには特に実績はないけれども、天下り先をたくさん作ったという人が偉くなるといった現象が起こるのです。

民主党の主張した「政治主導」というのは、「官僚は省の権益増大ばかりに目を向けてしまうので問題だ。もっと大きな視野から政治を考えられる国会議員こそが政治を動かすべきだ」というものでした。理念としてはよくわかります。国民にとっては、政治家が主導権を握るにしても、官僚が主導権を握るにしても、国全体を俯瞰してより良くなるような運営をしてもらわなければ困ります。

官僚機構のなかでできる対策としては、省ごとの採用をやめて、官僚は全員「国家公務員」として採用するというものがあります。そして、たとえば、最初の所属は財務省だけれど、その後は農水省に移ったり、経済産業省に移ったり……という仕組みにする。このような仕組みにすれば、「省益」に走る意味もなくなるし、中央省庁間の交流も促進されるかもしれない。ただ、一方では、専門性が低くなってしまう恐れもある。これは一朝一夕では解決できないなかなか難しい問題です。

天下りで組織の新陳代謝がよくなる⁉

官僚が叩かれる理由としては、「省益に走る」こともう一つ、「天下りで無駄遣いをしている」というものがあります。この「天下り」は、百害あって一利無しだと思っている方も多いと思います。

ところが、この**天下りを使った国家公務員の人事の方法は、日本の民間企業でもなかなかうまくできていない「組織を常に若返らせる」という点から考えると、見事としか言いようがないもの**です。

具体的な例を挙げましょう。ある省で、二十数人が同期として採用されたとします。彼らは課長補佐までは、全員一緒に出世していきます。課長になるぐらいから、優秀な人と優秀でない人で、出世のスピードが変わってきて、課長の上の審議官や局長になると、「この人はちょっとダメだな」という人に「後進に道を譲りなさい」と肩叩きが始まります。肩叩きをされた人がどこにいくのか。天下り先に行くわけですね。

こうして同期の人数がどんどん減っていき、局長クラスになると、同期は2人に絞られます。そして優秀なほうが事務次官になる。つまり、事務次官は常に年齢的にもトップになるし、気を遣わなくてはいけない同期もいないということになる。強制的な新陳代謝が行われ、下に対して遠慮なく命令ができるようにしておくというのは、見事な仕組みです。肩叩きするときに、「生活については何とかしましょう」ということで、天下りを用意しておくわけです。もちろん、偉くなってから天下る人は、給料や退職金も多いところへ行くことになるし、若いうちに天下りをした人は、それなりのところにいくことになります。

こうして天下り先が無数にできるわけですが、国民からすると「これはズルい」ということになる。その気持ちはわかります。民間企業で肩叩きにあえば、そのまま路頭に迷うだけです。官僚だけが守られているのはおかしいと言いたくなるのは当然です。

しかし**天下りがなくなると、あまり優秀でない官僚も定年まで省庁が面倒をみなくてはならなくなります。それこそ税金の無駄遣いになる可能性が高い**ですね。「就職先の斡旋などしてやる必要はない」「社会に放り出せ」という意見もあるようですが、そうすると国家公務員になりたい人が減るので、結局、優秀な人が今よりも減ることになる。天下りを廃止するのであれば、こうした点についても考える必要があります。

民間企業はそれぞれ工夫して新陳代謝をしているわけです。大企業だと、本社で出世競争に敗れた人をそれなりの処遇で受け止める子会社があります。あるいは本社内でも、そういう人たちの受け入れ先を作っている企業もあります。よく聞くのは、「ライン」と「スタッフ」で分ける組織作りです。ラインとは要するに、部長になり、取締役になり、平取締役から、常務になり専務になり、そして社長になっていくというコースです。会社の意思決定のラインと合致していることが多いですね。

一方、スタッフとは、意思決定をするための出世コースには敗れたけれども、独自性で勝負をしたいという人が進むコースです。新聞社でいえば、編集委員などがそうでしょうか。とにかく筆が立つ人が多いですね。いわゆる出世コースではないけれども、専門性のスタッフとして会社に貢献していく道です。

霞が関も、今はそういう工夫をしなくてはならない時期だと思います。ところが今は、天下り先は新たに作れず、かといって新しい仕組みもできていない。官僚の人事制度の過渡期ともいうべき時期で、人事が停滞してしまっています。

省庁で一番権力を持っているのはどこ?

「官僚主導」と言われた中でも、もっとも力を持った省は、大蔵省と言われていました。今の財務省ですね。この大蔵省が日本のすべてを支配しているといったある種の陰謀論のようなものすら語られていました。では実際のところはどうなのか。

実は戦前まで、一番力を持っていた役所は内務省でした。内務省というのは、今で言えば、総務省と、警察庁と、厚生労働省が一つになった役所です。想像していただければわかりますが、圧倒的な力を持っていました。戦後になって、権力が集中しないようにと内務省が解体された結果、相対的に浮上したのが、お金を握っている大蔵省でした。

大蔵省の主な仕事は、限られた予算をどう配分するのかを決めることです。それぞれの役所が政策を進めたいと考えても、お金が必要です。そのお金の配分を決めるのが大蔵省なわけですから、各省庁は大蔵省の言うことを聞かざるを得ない。新しい役所ができると、大蔵省はそこに次官を送り込むようなこともしていました。防衛庁ができたときには、大蔵省と警察庁が交互に防衛事務次官を出すといったこともする。こうして絶大な力を持っていった。

財務省になった時に、金融部門は金融庁という形で切り離すことになりましたが、それでも財布を握っているという意味では、いまだに強い力を持っています。

官僚の卵からすると、どうせ役人になるのなら強い力を持っている省庁に入りたいと思うものです。だからキャリア官僚の中でも成績が優秀な人は大蔵省、財務省に入っていく。実際、予算編成の実務を担当する主計官あたりと話をすると、「世の中にはこんなに頭のいいやつがいるのか」と驚きます。彼らは、知識や頭の回転がピカイチなだけでなく、体力もある。どれだけ徹夜しても、ビクともしない。キャリア官僚はものすごく過酷な労働条件ですから、「ひ弱な秀才」には務まりません。大蔵省の建物を指して「ホテル大蔵（オークラ）」だと言われたほど、予算編成のときには、ずっと省庁に泊まり込むわけです。

そのような知力・体力を兼ね備えた人が、国の形を設計していたからこそ、その通りになっていたとも言えます。

ただ、うまくいくときはいいのですが、何か問題が起きると、大蔵省陰謀論、財務省陰謀論が出てきます。先ほども述べたように、優秀な官僚は、さまざまなシナリオを作って、何が起きても対応できるようにしておきます。とはいえ、すべてのことを先回りすることなどできるわけがありません。陰謀論については都市伝説と考えてもらっていいと思います。

大蔵省、財務省の次に、人気があるのは、昔の通産省、今の経済産業省です。2番目に優秀な人が集まるところです。

TPP（環太平洋戦略的経済連携協定）のような議題が立ち上がると、経産省と農林水産省が対立するわけですね。そしてそれぞれ経産省は「TPPには参加したほうがいい」と主張し、農水省は「いや、参加しないほうがいい」と主張する。しかし、その主張する内容を聞いていると、官僚のレベルの違いがはっきり出ていて、面白いですよ。たとえば、経済産業省の側からは、農業の振興策まで出てきます。彼らはそこまで考えて、自分の主張を説明するわけです。表向きは、「これは農林水産省がやるべきことで、領空侵犯はしません」といったことを言いながら、実はいろんなシナリオを考えているのです。

そして何かあると、すぐにメディアに出ている人や有識者のところに、「ご説明」に行く。実は私のところにも、いろいろなところから「ご説明」がやってきます。「社会保障と税の一体改革についてあらかじめご説明申し上げます。消費税率を5％上げて、社会保障の充実にも使うのです。海外と比べてみてもおかしな数字ではないはずです……」といった具合ですね。つまりテレビに出たり、雑誌に記事を書いたりするときに、その人が少なくとも誤解に基づく批判をしないように、あらかじめ手を打っておくわけです。こうして手の内をさらしてしまったので、もう私のところには来ないかもしれませんが……。

特別授業・二

「国家元首」をめぐるアラカルト

——世界政治から見える日本

国によって、トップに立つ人物の役割や権力は異なります。国家元首のあり方を知ることによって、国のかたちや歴史が浮かび上がってきます。

大統領には「過半数」の支持が必要

特別授業・一では米国大統領選挙を取り上げましたが、２０１２年前半に選挙が行われて話題になったものには、ほかにロシアとフランスの大統領選挙があります。

二つの大統領選挙で共通しているのは、**最初の投票で過半数を確保した候補がいない場合、決選投票をする**ことです。

このことを知っていると、プーチン氏の大統領再選が決まった時に、彼が流した涙の理由がわかります。今回の選挙戦では「反プーチン運動」が盛り上がっていたこともあって、プーチン陣営は「1回目で過半数を確保できなければ、ただ恥をかくだけでなく、本当に負けてしまうかもしれない」という不安がありました。まさに死に物狂いだったのです。そのような中で、1回目の投票で6割の票を取って当選を決めることができたので、思わず涙が出てしまったのです。

一方、4月に行われたフランス大統領選挙の1回目の投票では、サルコジ氏もオランド氏も過半数を獲得することができず、5月6日の決選投票でオランド氏が勝ちました。なぜ、過半数を獲得する候補がいない場合は決選投票をするのでしょうか。これには次のような理由があるのです。

日本の感覚では理解しにくいのですが、もし1回目の投票で1位になった人を自動的に大統領にしてしまうと、獲得投票数が全体の3割か4割しかないのに大統領になれる場合が出てしまいます。**大統領というのは、絶大な力を持つ存在です。それなのに、「国民の3割の支持しか得ていない」と言われてしまうのは何ともまずい。それを避けるために決選投票をするのです。**上位2人で決選投票すれば、必ずどちらかの候補が過半数を取ることになりますから、その大統領は国民の過半数の支持を得たという政治的な力の裏付けができるわけです。

大統領は軍隊も動かすことができます。兵隊に、つまりは国民に対して、死ぬかもしれない行動をしろと命令する可能性もあるわけです。そのような命令をする大統領は、やはり強い力を持っていなければいけません。その強い力とは何かと言えば、国民からの支持にほかなりません。国民の支持こそが大統領の力の源泉なのです。民主主義というのはそういうものなのです。

アメリカ大統領選で、大統領と副大統領をセットで選ぶのも同じ理屈です。万が一、大統領が暗殺されたり、病気で死んでしまったりして、副大統領が代わりに大統領の地位についても、「この副大統領も国民によって選挙で選ばれた人なんだ」と国民に納得してもらえます。どのような事態になろうとも、「大統領になる人は必ず国民の支持を得た人だ」という構造にしているのです。

大統領と首相はどちらが偉い？

よく聞かれる質問に、「大統領と首相はどっちが偉いの？」というものがあります。**答えは大統領です。偉さを決めるポイントは、国家元首であるかどうかという点にあります。大統領というのは国家元首**なのですが、**首相は行政のトップでしかありません。**

イギリスやベルギーやオランダといった国には、国王や女王がいます。これらの国では、国王や女王が国家元首で、その国家元首の下で行政のトップを務めているのが首相（総理大臣）という形になっています。

日本も同じですね。ただし、日本の場合は厳密に言うと、日本国憲法に国家元首の規定がありません。天皇はあくまで「国民の象徴」とされています。ただし、現実には海外からは天皇が国家元首として扱われています。これは外国の大使の行動を見ているとわかります。新任の外国大使は相手国に行くと、まず行った先の国家元首に、「この人をうちの国の代表として送りますので、よろしくお願いします」という自国の国家元首からの信任状を渡します。これを「信任状捧呈式」といいます。日本に来た外国の大使たちは、この信任状を天皇に渡すのです。この事実から、海外から見て日本の国家元首は天皇であることがわかります。

ちなみに、外国の大使から信任状捧呈式を行ってほしいという連絡が入ると、宮内庁が「自動車を出しましょうか、あるいは馬車を出しましょうか」と聞くことになっています。10人のうち10人が、「ぜひ馬車で」と答えるそうです。宮内庁には車馬課という課がありまして、ここで馬をきちんと訓練して、馬車の管理をしています。信任状捧呈式では、東京駅丸の内中央口から皇居の中まで、「行幸通り」という道路を新任大使を乗せた馬車が走ります。

もともと皇居は江戸城だったのですから、馬車に乗って入れる構造になっています。各国の大使からすれば、たまらなく素晴らしい体験です。どこでも乗れる自動車での移動など選ぶはずがありません。

「首相」について、おまけの話を。「首相」と「総理大臣」、どちらも行政のトップで同じ役職を指していることはみんな知っていますが、では、どういう理由でこの呼称が使い分けられているか、ご存知ですか。

実は、視聴者が外国の話と混乱しないために、メディアがそれぞれ工夫して使い分けているのです。

NHKの場合でいえば、日本の行政の長に関しては「総理大臣」と使い、イギリスほか外国の行政の長については、「首相」と使うことにしています。

また、国会という言葉についても使い分けがあります。日本の国会もイギリスの国会も同じものなのですが、NHKでは、日本の場合は「国会」と呼び、イギリスのものは「英国議会」、アメリカのものは「連邦議会」と呼びます。これらは、ただわかりやすくするための使い分けですね。

選挙で選ばれる大統領と議会が選ぶ大統領

世界各国に大統領はいますが、実は細かく見ていくと大統領にも2種類あることがわかります。

一つは国民による直接選挙で選ばれる大統領で、もう一つは議会が選ぶ大統領です。

2番目に挙げた「議会が選ぶ大統領」は、一応、国家元首とされてはいますが、実は政治的な権力は何もありません。いってみれば、日本における天皇のような立場で、国民統合の象徴なのです。たいていは元国会議員の中から、人格者で与野党から愛されている人が選ばれます。言い方を換えれば、「無害な人」が選ばれます。たとえば、イスラエルやドイツ、インドの大統領などが、これにあたります。いかがですか、これらの国の大統領の名前を知っている方はまずいないでしょう？

ちなみにインドの大統領は2012年7月まで女性でした。カースト制度の最下層である、不可触賤民から国会議員にまで這い上がった人でした。また、ドイツでは、かつて東西ドイツが統合した時のワイツゼッカー大統領が有名ですね。この人が1985年に敗戦40周年を記念して行った「荒れ野の40年」という演説は、世界的に評価されています。このように、大変な人格者であったりする人が務めるのが象徴としての大統領なのです。もっとも、イスラエルでは2006年、当時の大統領に強制わいせつの容疑が持ち上がって大騒ぎになったことがあります。2007年、任期満了で退任後、裁判で有罪となり、服役しました。ただし、国民から直接選ばれていませんから、政治的な力は一切ありません。

これに対して、選挙によって国民から直接選ばれた大統領は、絶大な力を持っています。アメリカしかり、ロシア、フランス、韓国、どこの大統領も同じです。国家元首であり、政治的にも絶大な力を持っています。国民の直接選挙で選ばれていますから、当然といえば当然です。

そうした国家元首がいる上で、行政のトップとして首相を指名します。ですから、首相はたいてい「大統領が選んで、議会の承認を得る」という方法で選ばれます。

ちなみに、フランスの場合は、議会で最大多数を占める党から首相を選ぶという方法を採用しています。ですから、大統領が所属する政党が議会でも多数派を占めているときは、大統領と首相は同じ政党なので問題は起きませんが、大統領の所属する政党と対立する政党が議会で多数を占めている場合は、大統領と首相で政策方針が全然違うことになってしまいます。113ページでも説明したように、この状態のことをフランスでは「コアビタシオン」と言います。日本語では「同棲」という意味の言葉です。つまり、同床異夢とでも言いましょうか、所属政党の異なる大統領と首相が一緒に国を運営することになるわけです。そのぶん権力も抑えられることになりますが、それでもやはり大統領のほうが強い力があります。それは何度も繰り返しているように、国民の過半数から支持されているという「権力の源泉」がはっきりとしているからです。

アメリカの場合は、大統領が首相と国家元首を兼ねているという非常に珍しい形態です。アメリカでは毎週、国務長官や国防長官といった大臣たちが集まる閣議が開かれます。これを主宰するのは大統領です。日本での閣議は首相が開きますね。しかし、アメリカでは国家元首でもある大統領が開きます。

少し脱線して豆知識をご紹介します。アメリカの国務長官は、日本の大臣では何にあたると思いますか。実は「外務大臣」なんですね。国務長官という名称であるのに、外務大臣の仕事をする。これはなぜかと言いますと、昔は「長官」という役職の人が今ほど多くなく、国の重要な仕事はほとんどすべて国務長官がこなしていたのです。ところが、近代になるにつれ、仕事が一気に増えてきました。国務長官の仕事の中から、商務長官や教育長官などが次々と分かれていき、結局、国民国家にとってもっとも重要とも言える「外交」の仕事だけが最後に残りました。だから、いまや外交の仕事しかしないのに、名前は昔通りの国務長官なのです。

イギリス議会に残る歴史的な伝統

政治家の仕事として重要なものに「演説」があります。その中でも国のトップが行うものは、全国あるいは世界からも注目を浴びます。

日本の総理大臣が行う演説でもっとも重要なものが、所信表明演説と施政方針演説と言います。それぞれどのような内容の演説なのか。

まず、新しい総理大臣が就任して初めて行う演説を、所信表明演説と言います。つまり、「私は総理大臣として○○のような国にしたい」と宣言するわけですね。まさに所信を語る演説です。

毎年1月に通常国会が開かれるときに行うのが施政方針演説です。これは「これからの1年間は、こういう方針で国を運営していきたいと考えています」ということを演説します。アメリカでいうところの、一般教書演説と同じです。

ちなみに日本の場合、国会が開会するときには、天皇が挨拶します。日本と同じように議会制民主主義を採るイギリスも議会が開会するときには、エリザベス女王が議場に来て演説をします。この演説文は、首相府が作るのですが、イギリスの場合、ここで非常に面白い伝統が残っています。

かつて国王の権力を次々に奪ってきた者の代表が集まるようなところに国王や女王が行けば、拉致されてしまう可能性がある。そこで女王側としては、女王が議会に行くときには人質を要求するのです。女王が無事に帰ってくるまで、議会の代表がバッキンガム宮殿に来て、人質になる。これが今でも行われているのです。もちろん今は、お茶をごちそうになっているだけですけれども、このような伝統が守られているのは面白いですね。

つまり、**「議会と王政は、本来対立するものなんだよ」ということを確認する**わけです。イギリスは、度重なる市民革命を通じて、国王から権力をひきはがし、議会の方に引き寄せることをしてきました。国民にとっては栄光の歴史ですが、国王にとっては屈辱の歴史です。そうした対立の歴史を忘れないために、今も表向きは女王あるいは国王と議会は対立するという形を残しているのです。

日本ではあり得ない話ですね。天皇が挨拶をしている間、衆議院議長が皇居の中で人質になることなんて、想像もできません。この伝統を見るだけでも、同じ議会制民主主義という政治形態を採っていても、その背景は日本とイギリスではまったく違うということがわかりますね。

中国の行方を決める「チャイナ・ナイン」

アジアの国々にも目を向けてみましょう。

台湾の国家元首は「総統」と呼びます。英語に訳すとプレジデントですから、本来であれば、そのまま大統領と呼べばいいはずです。けれども、なぜか「総統」という言葉がメディアでは使われます。これは、中国との関係が深く関わってくるからです。

もし、**台湾の国家元首を大統領と呼ぶとすると、正式には「中華民国大統領」と呼ぶことになります。しかし、こう呼ぶと、台湾を一つの国家として認めたことになってしまいます。これは日本のメディアとしては、何とも都合が悪い。**そこでせっかく「総統」という呼び方があるのだから、そのまま総統という言葉を使おうということなのです。

ちなみに、台湾では首相のことは「行政院長」と呼びます。行政院というのは内閣のことなんですね。

さて、お次は中国です。**中華人民共和国では、大統領を「国家主席」**と呼びます。2012年8月現在でいえば、胡錦濤氏が大統領で、温家宝氏が首相です。

中国のトップ人事は興味深いので、少し詳しく解説します。中国には、「チャイナ・ナイン」と呼ばれる9人の政治局常務委員がいます。中国共産党というのは、全国に支部（委員会）があって、それぞれの省にある委員会から、省の代表が選ばれて中央に出てきます。その中で優秀な人物25人が中央大会の中で政治局に選ばれます。その政治局員の中で、さらに選ばれた最後の9人が「チャイナ・ナイン」と呼ばれる人たちです。中国13億人はこの9人が動かしていると言っても過言ではありません。

この**常務委員の9人にも1位から9位まで序列があります。**そうです、**この中で1位になった人が国家主席になる**のです。今なら胡錦濤氏ですね。そして2位の人は、人民代表大会の常任委員長になります。日本に当てはめると、衆議院議長といったところでしょうか。3位の人が首相になります。ただし、2位の人民代表大会の常任委員長というのは実質的には「名誉職」です。従って、「大ベテランの偉い人で奉らなければいけないが、この人に主席や首相をやらせるわけにいかない」という人が2位に祭り上げられることになっています。中国は共産党の一党独裁ですから、このように政党内の序列がそのまま、国家運営の序列になるわけです。

中国の政治は、この9人の「チャイナ・ナイン」による多数決ですべてが決まります。多数決で必ず結論が出るように奇数になっているのです。そういう意味では、胡錦濤氏は国家主席としていくら「こうしたい」と思っても、9人の中の多数決で反対されれば、あきらめざるを得なくなります。一方的に決めることはできないのです。こう考えると、中国は民主的とはとても言えない国ですが、トップ9人の中では民主主義が成立しています。

北朝鮮の奇妙な投票風景

北朝鮮にも選挙があるのをご存知ですか。日本でいう国会に当たるものもあります。選挙は小選挙区制度を採用しています。「この選挙区からは○○が立候補している」と上からお達しがあります。**候補者は1人だけです。ですから、結局、その人を信任するか、しないかの信任投票になります。**

有権者が投票所へ行くと、投票用紙が与えられます。その人を信任する場合は、投票用紙には何も書かないで受け取った投票用紙をそのまま投票箱に入れます。一方、「この人を信任しない」という場合は、記載台まで歩いていって、そこで鉛筆でバツをつけて投票箱に入れることになります。地域のお偉方たちが見ている目の前でそれをやらなくてはいけないわけです。だから、100人が100人、受け取った投票用紙をそのまま投票箱に入れます。投票率99・9%で、100%信任されたという形になります。記載台に歩いていったならば、投票所を出た後に何が起きても不思議はないわけですから。

とはいえ、独裁政権と呼ばれていても、一応、議員たちは選挙で選ばれているという形にはなっています。「気に入らなければ、不信任の票を投じることもできる」からです。実際にはそんなことはできないのですが、形の上で「選挙で選ばれた」ということが重要なのでしょう。

金正日も、かつてのイラクのフセイン大統領も、同じような手法で圧倒的な多数で当選しています。

ところで、北朝鮮を建国した金日成の役職は、大統領ではなく、国家主席です。これはなぜなのか。

実は、金日成も北朝鮮という国を作った当初は、「首相」と呼ばれていました。ところが、途中で国家のトップは国家主席であり、党のトップは総書記であるという中国式の国家組織をつくりました。そこで「国家主席」を名乗るようになったのです。

息子の金正日は、「総書記」と言いましたね。要するに「書記長」です。旧ソ連の場合もそうですが、共産党が支配する国では「書記長」が党のトップの名称という場合が多いですね。書記のような議事録を記録する人のトップが、なぜ国のトップなのか疑問に思っている人もいるのではないでしょうか。

これには次のような経緯があります。実はもともとソ連共産党には政治局というものがありました。その政治局の事務方が、まさに書記局でした。当時、書記長の職にいたスターリンが、自分のライバルを次々に粛清していきました。要するに処刑していくわけですが、そうして書記長である自分にすべての力を集中させました。そういう経緯があるから、書記長が共産党の中のトップになったのです。

ですから、組織のトップとして「書記長」という役職を作ったわけではありません。単なる事務局の一つだったのだが、そこにはあらゆる情報が集まるところでもあった。そこで、その情報をうまく使ってライバルを蹴落としてスターリンがトップになった。結果的に書記長が一番上という形になったわけです。その「書記長」という役職名を中国語に訳すと「総書記」になるので、それを同じように北朝鮮が使ったということになります。

面白いのは、スターリンが死んだ後、後任にフルシチョフが就くことになったのですが、「書記長」という名称を引き継がなかったことです。偉大なるスターリンの「書記長」などという役職名をそのまま使うわけにはいかないということで、フルシチョフは「第一書記」という役職名を使いました。

金日成の後継者である金正日が「国家主席」ではなく「総書記」「国防委員長」を名乗ったのも同じような理由です。金日成は「永遠の主席」として奉ろうという話になり、「国家主席」という地位を、いわば野球でいう永久欠番にしたわけです。

さらに興味深いのは、金正日の後継者である金正恩氏は「朝鮮労働党第一書記」「国防委員会第一委員長」を名乗ったことです。これはつまり、金正日の役職だった「総書記」「国防委員長」を永久欠番にしたわけです。このように、毎回、新しい役職名を考えなくてはならない国というのも大変ですね。

五限目

ネットと政治

——新聞・テレビの特権が崩壊

21世紀において、インターネットが経済や文化活動に大きな影響を与えているのは疑う余地もありません。そして、それは政治の世界にも当てはまります。ただ、政治は権力構造や人間関係が複雑に絡み合っているものですので、ネットが導入されたからといって、すべてがガラリと新しいものに変わるわけではありません。この章では、ネットメディアが政治にどのような影響を与えているのかについて解説しましょう。

「アラブの春」はネットだけではなくテレビの力

2011年、チュニジアでの民主化運動からアラブ世界に広がっていった民主化運動を「アラブの春」と言います。

この「アラブの春」は、TwitterやFacebookなどのインターネットを介したソーシャルネットワークがあったからこそ実現できたと言われています。しかし、この「ソーシャルネットワークがあったからこそ実現できた」というのは、誤解を招く表現です。

というのも、実はチュニジアにしても、エジプトにしても、パソコンを持っていてインターネットにつなぐことができる人は一握りしかいないからです。ましてやTwitterやFacebookのようなソーシャルネットワークを利用できるような人は、一握りのなかの一握りに過ぎません。ですから、「きっかけ」としては、確かに利用されたと思いますが、ソーシャルネットワークのおかげでデモが拡散したというのは、間違いなのです。

独裁国家では、「何月何日のどこに集まって抗議行動をしよう」とみんなに呼びかけるツールがありません。それこそ街頭でチラシを配ったり、ポスターを張って回ったりすれば、すぐに警察に捕まってしまいます。そこで彼らはまず、TwitterやFacebookを通じて、ごく一握りのネットを使っている高学歴でお金もある人たちが集まりました。とにかく抗議行動を始めたのです。もちろんそれは簡単に弾圧されてしまいます。しかし、それを中東の衛星テレビ局・アルジャジーラが放送しました。

カタールに本社のあるアルジャジーラは、アラビア語で放送しますから、アラブ世界の人たちのほとんどが見ることができます。テレビなので、読み書きができない人にも「抗議活動が起きている」ということを伝えることができたのです。

抗議行動の様子が映った後、テレビで「この抗議活動をしている集団は、来週、金曜日の集団礼拝の後、○○広場で再び集会を開きます」と放送されます。これをもって情報が一気に広がり、アラブ世界を揺るがす大きなデモ活動に育っていったのです。

ですから、**きっかけは確かにソーシャルメディアでしたが、それを大衆的に広めたのはアルジャジーラ**なのです。

実際、中国でのデモ活動が「北京の春」にならなかった最大の理由は、中国にアルジャジーラのような政府の検閲を受けない中国語放送がなかったからです。

中国でもTwitterやFacebookなどを使ったデモ参加への呼びかけは行われていました。しかし、その呼びかけを受け取ることができた中国人は、やはり一握りでした。圧倒的多数の中国人は知りませんでした。これでは大衆的な抗議活動にはなりません。

また、中国の場合は、公安当局が「アラブの春」を研究していたので、ソーシャルメディアをあらかじめチェックしていて、集まりかけたところで次々とデモ参加者を逮捕したり、デモが行われる予定だった場所に突然水を撒いて大掃除を始めたりといった形でデモが発生するのを事前に阻止したのも、「北京の春」が訪れなかった理由でしょう。

新聞・テレビの特権を突き崩す

翻って、日本では、ニコニコ動画やユーストリームを通して政治家の記者会見をノーカットで見ることができるといった、これまでとはまったく違う新しい政治放送メディアが育ってきています。

こうした利用方法こそがインターネットの本来の姿だと私は思います。インターネットが普及する前は、政治の情報は特権階級のメディア、つまり新聞社やテレビ局がすべて独占していました。記者会見にしても、政治家の言葉を直接聞くのは記者たちだけで、国民は彼らの記事を読むしかなかった。テレビにしても同じです。国民はテレビ局によって非常に短く編集された記者会見を見るしか選択肢を用意されていなかった。しかし今、インターネットが普及したおかげで、政治家の主張を余すところなく、しかもストレートに、有権者へ届ける仕組みができたのです。

インターネットは誰でも自由に発信できるという特性を持っています。これはつまり、メディアにおける特権階級が失われたということを意味します。政治家は、記者クラブに所属している記者に向かって話す以外の選択肢を得ました。自分の話が曲解されるような記事になっていないか不安を感じることもありません。ニコニコ動画やユーストリームを通じて、自分が言いたいことを、自分の考える最良の方法で有権者に届けることができるようになりました。これはこれで素晴らしいことだと思います。

官庁の公式発表にしても、今はホームページにすべて資料がアップされています。ですから、役所のサイトへアクセスさえしてもらえれば、新聞などを介さなくても、国民全員に官僚の持つ情報を提供することができます。

記者クラブに属する記者たちが、これまでどうして大きな顔をしていられたかというと、情報源を独占していたからです。しかし、もうその特権はなくなりました。

既存のメディアは、「既得権益を奪われた」という危機感のせいなのか、政治家によるインターネット放送について、「言いたいことを言っているだけの放送などダメだ。厳しい批判をする記者がいて初めて、記者会見は意味を持つんだ」と批判します。気持ちはわかります。しかし、政治家が、ニコニコ動画に出ようが、自由な記者会見の場を提供する自由報道協会の記者会見に出ようが、それはやはり自由なはずです。批判するのは筋違いでしょう。政治家にとって、自分の言いたいことをより多くの人に伝えたいというのは当然のことです。むしろ積極的に発言しようとしない政治家のほうに問題があります。

ただ、インターネットが普及したからといって、記者の仕事がなくなるということはありません。「政治家の話していることは国民にとって何を意味しているのか」「役所の発表した情報によってどのような世の中になるのか」といった**分析はむしろこれからの時代に**

こそ必要になります。プロの政治記者はそちらに集中していただければいい。これまでのように、**情報を右から左に流すことで仕事になっていた時代は終わった**ということです。

ネットでの選挙活動解禁の日は近い!?

日本は、それこそエジプトやチュニジアとは比べものにならないぐらいネットが浸透しています。しかしまだ、ネットで選挙活動をすることができません。選挙運動期間中はネットへの書き込みをやめなければいけないとされています。若い人を中心に、有権者の多くは、政治についての情報をネットから仕入れているのに、肝心の選挙期間中は、もっとも重要な候補者からの情報をネットから得ることができない。これはどう考えてもおかしな話です。

選挙活動のネット解禁は近いうちに実現すると思います。自民党政権時代であれば、高齢の有力者が「自分に不利になる」と感じて反対したかもしれません。けれども今の民主党の政治家は、それぞれみんなホームページも持っているし、人によってはTwitterなども使いこなして日々の政治活動をしていますから、「どうせみんな使っているのだから、選挙法を変えて自由にできるようにしよう」となる可能性は高いと思います。

マスコミは偏向報道をしているのか

ただ一つだけ、主に有権者側の問題ですが、ネットで政治情報を得るにあたって気をつけなくてはならないことがあります。それは、**ネットでの盛り上がりは、そのまま世論の盛り上がりではないということを把握しなくてはいけない**ということです。

ネットが浸透していると言っても、実際にネットに自分の意見を書き込む人というのは、まだまだ少数派です。その少数派の中でいくらブームが起きていても、ネットの外も含めた全体を見ると、大したことがないということがよくあります。

たとえば、麻生太郎さんが総理大臣でマスコミから叩かれていたときも、ネットでは大人気でした。小沢一郎さんもネットで人気が出たからといって、国民全体からの支持率が高くなったかといえば、そうでもない。むしろ一般的には小沢さんが叩かれているからこそ、それに反発する人たちがネットで小沢さんを熱狂的に応援したと見るのが正解でしょう。これは多様な言論が保障されているという意味で、とても健全なことだと思います。

ネットで人気だからといって、国民的な支持率があると勘違いしないようにしてください。小沢さんの熱狂的な支持者が50人いたとして、その50人が「小沢さんはすごい」と1

日に3回ぐらいずつネットに書き込んだとしたら、どうなるか。とても盛り上がっているように見えますね。しかし現実は違う。

その意味で残念なのは、ネット利用者が、自分がネットを利用して感じている感覚と世論調査がズレてくると、「マスメディアは偏向報道している」「世論調査も自分たちにとって都合のいいようにしているだけだろう」と言い出すことです。これはとても残念なことであり、不健全な考え方です。日本のマスメディアは、世論調査にバイアスをかけるようなつまらないことはしません。**ネットの利用者は、まず、「自分たちの方が少数派なんだ」という自覚を持つことが大事**です。

ところで、中国にはいわゆる世論調査がありません。国からの検閲が入らない自由なメディアがないので、世論調査も行えないのです。これは中国という国全体にとって非常に危険な状態だと思います。

世論調査がまったくできないことで、共産党の幹部も国民の世論がわからない。そこで彼らはネットを見ます。そこには「日本はけしからん」「尖閣諸島は中国のものだ」といった過激なことが書かれている。それを読んだ共産党の幹部たちは、「なるほど、中国の国民はこんなことを考えているのか」ということで、急に日本に対して強い態度を取ったりすることもあるわけです。でも、ネットで一部の人が盛り上がっているのは事実だとしても、そのことを多くの中国国民は知らないし、そもそもそんなに日本が嫌いというわけではない。とはいえ、中国のトップたちは、ネットからしか世論の動向を摑むことができないから、そこに頼ることになる。こうして非常に偏った政策判断が行われる可能性があるのです。

世論調査の方法

日本のマスメディアが発表する世論調査はどのような方法で行うか、ご紹介しておきましょう。

本当の正確な世論調査をしようと思えば、全国の有権者の住民台帳を基に無作為抽出をして、アンケートを行う必要があります。けれどもそれは、とても手間暇がかかります。ですから、通常の場合は電話を使った世論調査をします。こう書くと、「自宅に電話をかけて出てくるのなんて年寄りか暇人だけだから、その調査は偏っている」などと思う人もいるかと思います。しかし、実は、電話を使いながら対象者が偏らないようにする工夫がいろいろあるのです。

まず、どの番号に電話をかけるのか。昔は電話帳の中から、無作為で選んで電話をしていました。けれども、今はそもそも電話帳に自宅の電話番号を載せている人などほとんどいません。ですから、コンピューターで自動的に電話番号を発生させます。その番号にかけていくという方法を採用しています。

さらに、電話番号には市外局番がありますね。それぞれの市に住んでいる居住者の数もわかっている。そこで、偏りが出ないように、市外局番ごとに電話をする人数を決めていきます。その市外局番の下の番号をコンピューターで自動的に発生させていくわけです。

使われていない電話番号の場合や、事業所にかかった場合は、飛ばして次の番号にいきます。とにかく個人が出てくるまで電話をかけ続ける。

するとどこかで個人が電話に出てくれる。たしかに、その時に電話口に出てくるのは、老人か主婦かもしれません。だから、その人だけにアンケートを取ってもサンプルが偏ってしまいます。そこで、世論調査に協力していただけるとなったら、まず家族の人数を聞きます。たとえば5人と答えたら、その5人に関して乱数を使って、一つの数字を発生させる。これが4と出たとすると、「あなたのご家族5人のうち、年齢が4番目の方はどなたですか。その方はいらっしゃいますか」と聞く。もしその場にいれば、その人に電話に出てもらう。「今は家にいない」ということなら、帰る時間を聞いて、「その時間にまた電話します」という形を取る。こうして全体が一定の数になるまで調査をする。これにより、かなり正確な世論を摑むことができます。

ただし、やはり問題はあります。最近は若い人を中心に、そもそも固定電話を持っていない家が増えています。そうした世帯をうまく拾う方法はまだ確立していません。固定電話のある家に住む若者は調査対象にすることができますが、都会で一人暮らしをしていて、電話は携帯電話しか持っていないという人が漏れています。

しかし、とにかくマスコミの行う世論調査というのは漫然と電話をしているだけではありませんし、自分たちの都合のいいように調査データを曲げるようなことはしていないことは、わかっていただけたかと思います。

瓦版からインターネットへ

政治は、それぞれの時代を代表するメディアとともに発展してきたとも言えます。

江戸時代の政治メディアといえば、瓦版でした。この瓦版は、絵を入れたり、漢字にルビを振ったりして、できるだけ多くの国民に内容がわかるように工夫していました。また国民の意見を載せることもしていました。こうして、当時のメディアなりに、政治の様子を国民に伝え、同時に国民の意見を為政者に伝えていたわけです。

明治になると、大新聞と小新聞という2種類の新聞が出ました。大新聞というのがいわゆる政治を扱った新聞です。一方の小新聞が政治以外の世の中で起きたさまざまなニュースを伝える新聞でした。この小新聞が、今の普通の新聞に発展しました。このようにまだ基本的には文字が読み書きできる人向けではありますが、政治について伝える専門メディアもあったのです。

昭和になると、やがてラジオが普及します。ラジオが出てきたことでメディアは、その発信力を一気に増しました。たとえば、終戦直後のＮＨＫラジオには、街頭録音というのがありました。これは東京・銀座の数寄屋橋の街頭で、道行く人々に、「あなたは今どうやって食べていますか」と質問したり、「生活が苦しい、何とかしてくれ」といった生活者の声を拾ったりするというものでした。こうして有権者の声がラジオを通して、日本中に届けられるようになりました。これまでとは違った世論が形成されるようになってきたのです。政治家からすると、今の庶民がどんなことを考えているのか、ＮＨＫのラジオを聞いているとわかるようになったのです。

やがて、それがテレビになり、今はネットになったわけです。テレビにはテレビの、ネットにはネットの良さも問題点もあります。

政治家はそれぞれのメディアの特性をきちんと理解して、自らの意見をより効率的に発信する努力をするだけでなく、そのメディアからより正確な世論を摑む努力をしなくてはならないのです。

ネットの登場はメディアの世界にとって大きな進歩でした。同じように政治の世界にとって大きな進歩が訪れることを願ってやみません。

六限目

ポピュリズム

——民主主義政治の病

票集めに躍起になっている政治家と、青い鳥を追い求める国民。民主主義政治につきものの現象「ポピュリズム」とは何か？　現在、日本のみならず、世界を覆う問題になっています。

日本政治の救世主!?

今、日本の政治を考えるうえで絶対に外すことのできない人物が一人います。

自らそうです。圧倒的な支持率を得ていた大阪府知事の任期を3カ月間も残しながら、辞職。40年ぶりの大阪府知事・大阪市長のダブル選挙に、大差で勝利した橋下徹氏です。

彼が代表を務める政党「大阪維新の会」が国政進出への準備を進めていることもあり、橋下氏は今や地方政治の枠を超えて、「日本政治の救世主」とさえ言われています。

では彼はどうしてあれほどの人気があるのでしょうか。

障害者支援を推進するなど社会のセーフティネットを強化する一方で、「競争できる人はどんどん競争すべき」とする政治理念が支持されたのか。弁護士としてのスキルを活かした弁論術で支持を勝ち得たのか。あるいは、テレビへの出演経験があることで「有名だから」支持されているのか。

これらの理由によって橋下氏を支持する人もいるでしょう。しかし、これらだけでは現在のような圧倒的な支持を説明することはできません。橋下氏が支持を集める直接的な理由は、別にあります。

橋下氏ならば、今の日本の閉塞感を打ち破ってくれるに違いない。国民がこのように期待していること。これこそが橋下氏の支持の源泉なのです。

まず**スピード感が抜群**です。とにかく、決断が速い。日本の場合は、面白いアイデアが出てきても、それでは検討会議を開いて……と手順が多いので、実際に政策として動き出すころには国民は「あれ、そんな話あったっけ？」と忘れてしまっている。その点、橋下市長の場合は、アイデアを聞いたその日のうちに「こうしなさい」とすぐに部下に指示を出します。わからないことがあっても、3日間か4日間で答えを出す。これはアメリカではごく当たり前のことですが、これまでの日本の政治になかったスピード感です。

国民としても、みるみるうちに変化が起きているのを見てとることができれば、やはり期待してしまいます。少なくとも、「何をやっても変わらない」という印象があった政治に対して、新鮮なイメージを持つことができます。

東京に住んでいる人は、橋下氏の政治家としての実績は「公務員の給料を下げたこと」くらいしか知らないかもしれません。けれども橋下氏は大阪府知事時代にさまざまな改革を実行しています。大阪では、もちろん逐一報道されていましたが、東京では普通の仕事はまったく報道されずに、極端な発言をしたときだけ報道されます。だから「変わった人だ」「人気取りばかりしているんじゃないか」というイメージを持たれてしまっています。

しかし、実際に実績を上げていることもあり、大阪では絶大な人気があるのです。

橋下人気に潜む落とし穴

ただし問題がないわけではありません。むしろ、「閉塞感を打ち破ってくれそうだ」というその人気の秘密に、恐ろしい落とし穴があるのです。

どういうことか説明しましょう。

まず**橋下氏の人気は、決して、政策の内容に支えられているものではありません**。これは政治家として異様な状態です。実は小泉純一郎氏が熱狂的に支持されていたときにも同じような現象が起きました。**低所得者層にとって優しい社会とは言えない「小さな政府」を目指す小泉氏を、小泉改革によってもっとも痛みを受ける低所得者層の人たちが支持し**

ました。小泉氏を支持した人たちは、政治哲学として「小さな政府」の世の中にしたいわけではなかったのです。

では、なぜ彼らは小泉氏を支持したのか。彼らはただ今の世の中に不満を持っていました。何か虐げられているなと感じていた。だから、現状の政府を攻撃して、力を奪うべきだと考えたのです。

日本のように、ある程度「大きな政府」だった社会が「小さな政府」になるということは、政府側から見ると権力を奪われたとも言えます。「小さな政府」になると、国が使い道を決める予算額も減るわけですから。

政府の権力を弱めるということは、いわば、エスタブリッシュメントに対して攻撃をしたことになります。それが「今、虐げられている」と感じている人にとっては気持ちがいいのです。けれども、冷静に考えてみると、政府に力があるからこそ、セーフティネットを張ることができて、貧しい立場にいる人も何とか生活が守られている事実もあります。もし、「小さな政府」になれば、そうしたセーフティネットはなくなります。なくならないまでも、弱くなる。そのことに気がついていない人も多いようです。あるいは、気がついていても、とにかく現状を変えたいと思っている。

まさに今、橋下氏を支持している層の中には、同じことを考えている人たちがいます。橋下氏の政策内容には実はまったく興味がない。ただ、とにかく今の世の中を変えてほしい。

有権者がどのような考え方をして、どのような政治家を応援したとしても、それは自由です。しかし、**恐ろしいのは、「とにかく今とは違った状況を作ってくれ」という要求を繰り返していても、世の中は改善されないだろうということです。**政治家も政党もしっかりとした基盤を持っている状況であれば、有権者のそのような要求に応えることもできるかもしれません。しかし、今は政治家も政党も何をしていいのかわからない状況です。そうであるならば、有権者側としても具体的に「このような世の中を作ってほしい」と発信して、その一方で、有権者が求める世の中を作ることができる政治家を育てていかなくてはいけません。それが民主主義というものです。

２００５年8月8日の郵政解散のときの「小泉ブーム」を見ても、09年に政権交代をしたときの「民主党ブーム」を見ても、前回の参議院選（10年）の「みんなの党ブーム」を見ても、今は、有権者の「とにかく変えたい」という気持ちを摑んだところが一気に票を集めます。ただし、それは長続きせずに、次の選挙のときには忘れられているということを繰り返しています。

これでは、政治家が育ちません。橋下氏の大阪維新の会が、仮に次の衆議院選挙で、大量の議員を当選させたとしましょう。しかし、候補者の教育や国民を納得させる活動ができないようなら、これまでと同じように国民をがっかりさせるだけのことです。そうして、小泉チルドレン、小沢チルドレンの次に、橋下チルドレン（橋下ベイビーズか？）が輩出されることになるでしょう。

矛盾承知の橋下発言

さて、橋下氏の人気の秘密に関して、もう一度、復習しましょう。

橋下氏の突破力はすさまじいものがあります。それこそTwitterでも記者会見でも、力強い言葉で既存の政治をぶった切ります。これに、国民は「よくぞ言ってくれた」と拍手喝采を送っているのです。

今の政治には閉塞感がある。それを打ち破ってくれるかもしれないという期待から、橋下氏に対する支持が高まっている。しかし、橋下氏の目指す国のかたちや橋下市長の考える政策自体に支持が集まっているわけではありません。

では、橋下氏自身はこのような「人気の理由」について自覚しているのでしょうか。

もちろん橋下氏もそのことは重々承知しています。ですから、自分の意見の一貫性などはあまり重視していません。**過去の発言と矛盾があろうとも、とにかくその時々で必要なセリフをズバリと言うことに気を配る**のです。

たとえば、橋下氏は、府知事だったとき、「府の財政は火の車である。だから財政支出を削減しなければいけない」と言いました。その一方で、「学力レベルが低過ぎる。学力を上げよう。教育委員会は何をやっているんだ」と言います。学力を上げようとするのであれば、もちろんきめ細かい教育が必要になります。つまり、教員の数を増やさなくてはいけない。それは緊縮財政に反する話です。この二つのことを同時に主張するのは矛盾しているわけです。

でも、一つ一つの話として考えてみれば、「あまりに無駄が多過ぎるから、無駄を減らそう」という話と、「学力を上げるべきだ」という話は、ともに「それはそうだ、やはり橋下知事の言っていることは正しい」ということになります。本当は、それぞれ「なぜ財政に無駄が多いのか」「なぜ学力が低いのか」についてきちんと分析して、対策を練らなくてはいけないのですが、わかりやすい話で終始させてしまう。

大阪の子どもの学力を、住んでいる区ごとに調べてみると、低所得者の多い区では平均の学力が低いというデータがあります。これは歴然たる差があります。その理由としては、高所得の家では親が教育熱心であったり、子どもを塾に行かせたりすることができるけれども、低所得の家は子どもの教育に気が回らないからだと考えられます。

本来であれば、そこまで考えた上で、「ではどうしていくのか」という対策を打ち出すことになります。大阪の子どもの学力レベルを底上げするためには、実は経済的な支援をする必要があるはずです。

単純に「学力が低いのは教育委員会が何もやっていないからだ」と言えば、現状に不満のある人は飛びついて、「そうだ、教育委員会はけしからん」となる。けれども、冷静に考えてみると、それは根底から間違っている可能性があるわけです。

とても残念なことなのですが、所得と子どもの学力には相関関係がある。その上で、どのようにして学力レベルを保障していくのかを考えなければいけないはずです。それはとても地味な話になるはずです。大向こうの拍手喝采を買うことはないかもしれない。けれども本当に必要なことは、地味かもしれないけれども、本当に効果のある政策です。

では、このような細かな矛盾点は脇においておき、クリアな切り口でズバッと言い切る橋下氏の政治手法はこれまでの日本になかったものなのでしょうか。

実は、そうではありません。

小泉純一郎氏と似ている点、違う点

2005年9月11日、第44回衆議院議員選挙が行われました。先にも触れましたが、世間では「郵政選挙」と言われています。この選挙で自民党と公明党を歴史的な大勝利に導いたのが、小泉純一郎氏です。この小泉氏の手法がまさに、誰にでもわかる形でスバリと言い切るというものでした。小泉氏は、このような政治スタイルを貫くことで、「政治というのはよくわからない難しいもの」というイメージを払拭しました。郵政選挙にしても、小泉氏が国民に投げかけたことは「郵政民営化、是か非か」の一つです。そして結果は、ご覧の通り、多くの支持を勝ち取ったのです。

閉塞感を打ち破ってくれる気がする。既得権益を突き崩してくれそうな気がする。発言がとてもわかりやすい……などなど、橋下氏と小泉氏は、政治家のタイプとして、とても似ているようにも見えます。

しかし、橋下市長の発言を注意深く追っていくと、小泉氏とはまったく違う政治家像が見えてきます。

教育改革条例案にしても脱原発にしてもそうですが、橋下氏は必ず第一声として極端なことを言います。しかし、結局どこかに落としどころがある。教育改革条例案も、最初は、「首長が主体となって教育内容を設定する」「教育委員会に対して政治主導を行う」など、教育界からあきらかに大反発を受けるようなものを出しておいて、教育委員会の反発を少しずつ受け入れながら、修正する。たぶん橋下氏は、最初に打ち出したものが通るとは思っていないでしょう。でも、わざと極端なものを打ち出す。そこで反発を受けた後で妥協する。すると反発した側も「まあ、多少は妥協させたことだし、仕方がないな」と納得するわけです。もし橋下氏が最初からおとなしい案を出したとしても、そこに反発が出ます。すると、おとなしめの案からさらに妥協せざるを得なくなる。

橋下氏としては、それは避けたい。だからこそ最初はみんなが驚くような極端な案を提出するわけです。そういう意味で、これは弁護士的な手法といえます。

弁護士としての橋下氏は、法廷で弁論するというよりも、民事訴訟をうまく和解に持っていき、手数料を受け取るという仕事が主でした。これはビジネスとして非常にうまくいっていた。この**和解に持っていく交渉術というのは、まさに最初に吹っかけておいて、落**

としどころを自分の都合のところに持ってくるというものですから、彼はその技術に長けている。それを政治の場に応用しているのだと思います。

小泉氏は、わかりやすい言葉でズバリと発言しました。それはもちろん国民に語りかけるための高度な政治手法でしたが、その背景には「郵政を民営化したい」という自分の信念がありました。しかし、橋下氏には、果たしてそのような信念があるのかどうか、今のところはっきりしません。いつも国民の反応を先回りして読んで、ちょうど良い落としどころへ持っていけるように、敵対する相手と条件闘争をする。こうして比較してみると、この二人は政治家として一見似ているようで、かなりタイプが違うということがわかります。

この橋下氏の政治手法そのものこそ、民主主義の最大の落とし穴、「ポピュリズム」につながっていることを、私たちはしっかりと受け止めなければいけません。

世論調査が人気取り政治の一因に

新聞でもテレビでも「支持率」というのがよく発表されますね。また世論調査がひっきりなしに行われています。この世論調査は世論の動向を摑めるので、政治家にとっても便利なものですが、実は政治全体に与える影響も大きいものがあるのです。

ひと昔前までは、世論調査というと、非常に手間暇がかかりました。全国に調査員を派遣して、有権者名簿からあるいは住民票から、無作為に抽出した人の家に調査員が訪ねていくという方法を取っていたので、そう頻繁にできるものではありませんでした。

しかし、五限目でも述べましたが、今では電話で調査ができます。これによって何か大きな事件でも起きると、すぐにそれについて賛成ですか、反対ですかと調査が行われ、次の日には結果が出てしまう。すると、政治家はどうしても世論調査に引っ張られてしまうことになります。支持率が落ちてくれば焦って「何とかしなくては」と思うわけです。結果的に、世論調査に引っ張られた「人気取りの政策」が横行することになる。

これが現代版ポピュリズムです。

ポピュリズムを日本語に訳すならば、「衆愚政治」になります。政治家が民衆の人気取りに走ってしまい、本当に必要な政策を実行しない。そして民衆もそれを咎《とが》めることができない。それがポピュリズムの基本的な症状です。

本来、ポピュリズムというのは、政治家が「次の選挙」を気にして陥るものです。政治家は次の選挙で当選するためには、有権者の歓心を買うようなことを、政策として打ち出していかざるを得ない。これは民主主義国だけの問題ではありません。軍事独裁政権であっても事情は同じです。国民の支持が失われると、暴動などによって、政権をひっくり返される危険性が増します。そこで、為政者というのは、少なからず国民からの人気取り政策はせざるを得ない。

このように政治家が国民の支持を得たい、というのはある意味で仕方がないことです。しかし、現代のように、毎週のように世論調査が出てくると、従来のポピュリズムとはまた違った問題が出てきます。

1週間単位で世論調査が出てくるということは、政治家としては1週間単位で支持を得なくてはいけないということになります。本来、次の選挙までの期間はゆっくりと政策を練ることができるはずなのに、常に短期的な支持を得なくてはならなくなる。そして、その結果に一喜一憂することによって、一段と極端に政治が揺れ動いてしまうのです。

菅直人氏は、この現代版ポピュリズムに翻弄された典型例でした。目先の支持を求めて、突然「脱原発を推進します」と思いつきのように言ってしまう。しかし内閣で議論していないから、ほかの大臣は「聞いていないよ」という話になる。これでは、脱原発に限らず、どのような政策もうまくいくはずがありません。

世界を覆うポピュリズムの波

このポピュリズムに、実は世界中の国が悩まされています。経済破綻の危機に陥っているギリシャでは、歴代の政権が選挙のごとに、「うちの党が政権を取ったら、あなたやあなたの息子を公務員にします」と言って支持を広げました。その結果、結局、緊縮財政をしなくてはならないということになった。ところが、この期に及んで「緊縮財政などけしからん」という反発が出る。すでに財政的に破綻しているのに、「反緊縮派」が選挙では大躍進してしまいます。ギリシャの財政破綻問題は、まさにポピュリズムのもっとも醜悪な側面を映し出しました。

また、政治的に派手なパフォーマンスをして票を集めようとするのは、日本の政治家だけではありません。

たとえば、アメリカのティーパーティ運動などは、徹底して派手な主張をしていました。彼らはとにかく「小さな政府」にしろと言います。社会福祉も医療保険も一切要らないから、政府の力を小さくするんだと。そして、こうした主張を支持したのが南部の低所得の白人でした。まさに社会保障をもっとも必要とする層から支持を受けた。小泉氏、橋下氏の「小さな政府」論が日本の低所得層から支持を受けたのと同じですね。こうした話は日本だけの話ではないのです。

ポピュリズムの視点からいえば、単純に極端な主張をすると、それなりの支持を得ることができるとも言えます。また、低所得者が一番恐れるのは自分たちの仕事が奪われることですから、「移民排斥」「愛国保守」を掲げると、一定の票数を獲得できてしまうという側面もあります。

たとえば、フィンランドでいえば、「真のフィンランド人」という名の政党が急激に支持を伸ばしてきています。これまでの比較的自由に移民を受け入れてきた国の運営に真っ向から反対して移民を排斥する主張をし、これが支持されている。フランスも格差が広がり、低所得層が増え、「移民排斥」を主張する「国民戦線」という政党が同じような理由で支持を得てきています。

ギリシャでは、さらに過激です。「ゴールデン・ドーン（黄金の夜明け）」という政党が支持を集めているのですが、党旗はカギ十字に似ていて、議会では、みんな一斉に右手を挙げてあいさつする。つまりナチスそっくりなのです。

このように世界を見渡してみると、**政治家が打ち出す政策がポピュリズムを狙ったもの**

かどうか、私たちは見極める目を持たなければなりません。たとえば、小泉氏の靖国参拝や、橋下氏の主張する「愛国心を育てる教育」や「教師の国歌斉唱義務化」は、実はポピュリズムをくすぐる、ある種の政治戦略的な政策とも言えます。

小泉氏が総理大臣になる前に靖国神社に参拝していたのか調べてみてください。つまり、総理大臣になる前から靖国神社に参拝をしていた人が総理大臣になってもそれを貫くのであれば、それはわかります。でも小泉氏の場合は、総理大臣になる前までは靖国神社などにまったく関心がなかったのに、「中国からの圧力に負けない強い政治家」を表現するために総理大臣になってから参拝を始めたわけです。これはあきらかにポピュリズムです。

一方、中曽根康弘氏は、昔から靖国神社に参拝していたし、総理大臣になっても靖国神社に参拝していたけれども、そのことで中国との関係が悪くなったので参拝を控える判断をしました。これはポピュリズムではありませんね。

つまり、誰の目を気にした行動なのかということです。**ポピュリズムは、政治につきものの宿痾《しゅくあ》（治らない病気）です。国民の支持がなければ政治はやっていけません。けれども、これは民主主義のパラドックスなのですが、国民に媚びるような行動を取っていては、国にとってよい政治はできません。**増税も緊縮財政もそうですが、ときには、国民に痛みを要求しなくてはならないことがあるのです。

政治家は人気のない政策を「先送り」にしたがる

国民にとって不幸なのは、この政治家がポピュリズムに堕しているのか、本当に国のことを考えているのか、それを見極めるのが非常に難しいことです。

増税の例でいえば、次の自分の選挙が心配だから「増税反対」と言っているのか、本当に国のことを考えた上で「今、増税してしまうのは、国の経済にとってかえってよくない」と言っているのか、見分けるのはとても難しい。

「今、増税すべきではない」という言葉が、そのままの意味なのか、増税を先送りするための理屈になっているのか、判断がつきにくいからです。

政治家は基本的に国民から人気のない政策については、あらゆることを先送りしたがります。あれだけ高い支持率があった小泉氏でさえ、消費税を上げるのは先送りにしました。

年金問題もそうです。年金問題が難しいのは、改革の成果が出てくるのが何十年も先、つまりその政治家が引退した後だということです。**40年後のことを考えると、今大胆な改革をする必要があるのは間違いない。でも、今、大胆な改革をすれば必ず反発を受けるこ**

とになる。もしかしたら次の選挙で当選できないかもしれない。そうであるならば、40年後は、自分は生きていないわけだから、国会議員でもないわけだから、自分の政治生命をかけてまで改革運動をすることもないか……という形で先送りが進められる、そういう構造なのです。

政治生命を危険にさらしてでも、「もう先送りできない、今やらなければいけないんだ」と国民を説得し、そういう改革をしていくのが本当の政治家です。けれどもそれは、なかなか難しいのも事実です。

透明性、説明責任が大事

国民の不信感をぬぐい去るために、もっとも重要なのは「透明性」です。これまでの日本の政治はずっと「とにかく任せておけ。こっちがうまくやるから」といったスタイルでした。ところが最近は、インターネットなどを通じて、国民はいろいろな情報を得ることができるようになりました。実際、「裏で甘い汁を吸っていた奴がいるんだ」といった事実が明るみに出てくれば、政治全体に対して不信感を持ってしまうのも当然です。

しかし、そのような時代だからこそ、政治家と国民がより密なコミュニケーションを取る必要があるのです。

たとえば、太陽光発電の買い取り価格にしても、「この価格は高過ぎる。これは誰かが甘い汁を吸うためだろう」という批判があります。

しかし、世界の水準と比べて高い買い取り価格を設定するのには意味がある可能性があります。もし、太陽光発電を事業化できるとわかれば、太陽光発電に進出してくる企業がどっと増えますね。その後、それぞれの企業努力で太陽光発電のコストが下がっていけば、世界的な競争力をつけることができるかもしれない。最初から安い買い取り価格を設定してしまうと、「儲からなさそうだからいいや」とそもそもの参入企業が少なくなって、いつまで経っても技術革新が進まないということもあり得ます。

ですから、意図的に高い値段にするというのは、政策論としてアリなのです。ただ、重要なのは、その議論をきちんとオープンにすることです。どのようなことを考えて、どのような狙いで、この価格を設定したのか、すべて説明する。その説明を飛ばして、ただ「この価格になりました」とだけ発表するようでは、「誰が儲けているんだ?」となってしまう。

郵政民営化における、かんぽの宿の買い取りなども「透明性」という点から見ると失敗でした。売り出し価格にしても、売り出し先にしても、決めた経緯が不透明で、国民の不信感を買ってしまいました。

極端なポピュリズム政治からの脱却を目指せ

「明日の国のことを考えるのが政治家で、明日の自分の選挙のことを考えるのが政治屋だ」という有名な言葉があります。

国の未来を考えるのがstatesmanで、自分の未来を考えるのがpoliticianという言い方もありますけれど、結局、選挙で選ばれるという仕組みになる以上、多かれ少なかれ、ポピュリズムが入り込むのは仕方がない。ただ、そのポピュリズムが極端なところにまで行かない仕組みを作るのが大事です。現代の政治を考える上で「極端なポピュリズム政治からの脱却」というのは、避けては通れない問題です。

では、どうすれば、「ポピュリズム」の弊害を受けずに民主主義を貫けるのか。

たとえば、**イタリアでは、危機突破内閣を国会議員でなくて、経済学者などの学者ばかりで構成しました。彼らは国会議員ではないので、次の選挙で自分が当選することを考え**

る必要がない。だから思い切った緊縮政策を取ることができました。

これは一つの手です。政治家も、自分たちが手を汚すよりも、「学者たちに任せる」ことで、政治的に難しい政策を実行できた。「専門家の人たちが必要だと言っているのだから、国民の方々ご理解ください」というわけです。もちろん日本の原発再稼働などは、専門家が何かを言ったからといって多くの国民を納得させることはできなかったわけですが。

似たような意味では、「日本は官僚主導である。政治主導でないのはけしからん」と長らく言われてきましたが、ポピュリズムに陥る心配がなかったという意味では、官僚主導にも見るべき点はあるということです。

官僚というのは、選挙で国民から選ばれるわけではないので、国民からの人気を気にせずに政策を考えることができる。財政再建のような、国民から人気のない政策は、官僚主導のほうが進めやすいのも事実です。

官僚主導はおかしい、政治主導にすべきだ。国民が選挙で選んだ政治家が責任を持って、国のかたちを決めるのだ。これは確かにその通りで、言葉としても美しい。けれども、実際には次の選挙が心配だから、国民に人気のない政策は先送りする、ということが横行しています。これなら、官僚主導のほうがマシだったのではないかという異常に逆説的な事態になっています。

自民党政権の時代はあまりにも官僚主導に過ぎました。それはその通りです。しかし、民主党政権が政治主導を推し進めようとしたら、未熟な政治家ばかりでポピュリズムに陥り、結果的に混乱するばかりになってしまいました。

今は、極端から極端に振れている状態です。一刻も早くその間を取るベストミックスを見出さなくてはいけない。そんな時代が来ているのだと思います。

日本が閉塞感に陥る理由

今の日本は閉塞感に満ちていると言われます。

もちろんそれは、ユーロ危機によって世界的に経済の調子が悪いことや、少子高齢化によって社会保障費がかさむことが目に見えていて、将来の財政が不安であることなど、たくさんの理由が重なって、重苦しい雰囲気が作り上げられているのでしょう。

しかし、このような雰囲気が日本を覆っている最大の原因は、国民が政治に対して絶望感を持っているからだと思います。

もちろん、政治の状況に対する不満というのは常にあります。自民党の長期政権のときにも、やはり国民の不満は溜まっていました。それが民主党への投票という形で表れて、政権が交代しました。政権交代したときには、「あ、これで何かが変わるんじゃないか」という期待が非常に高まった。

かつて細川護熙政権が誕生したときも同じようなことがありました。自民党の宮沢喜一内閣に不信任案が出て、国会が解散された。選挙の結果、自民党は過半数の議席を取れませんでしたが、比較第一党でした。だから「憲政の常道」でいえば、第一党が政権を担うべきでした。ところが自民党だけでは過半数に届かない。そこで、小沢一郎氏が、共産党を除く自民党以外の党をすべて集めるというかたちで過半数を集めました。細川氏をトップに据えて、連立政権ができあがったわけです。

この細川総理は、国民から見て非常に斬新でした。記者会見一つにしても、それまではさえない年配のおっさんが座ったままモゴモゴ話しているだけという印象だったのが、ビシッと立ってハキハキわかりやすい言葉で話す。記者を指すときには、ペンを使って「はい、あなたどうぞ」とスマートに指しました。常にテレビ映りを気にして動く。つまり、国民に見られていることを前提として、政治をする。最初の新しい内閣ができたときの乾杯も、総理官邸の庭で、ワイングラスに日本酒を入れて乾杯しました。政治家同士で政策の揩り合わせをするにしても、赤坂の料亭でこっそり密談をしているイメージを、ホテルのレストランでオープンに議論する非常におしゃれなイメージに変えました。APECでは長いマフラーを後ろに垂らして、英語でスピーチをしました。

そうした振る舞いがすべて、政治が良い方向に動くように感じさせたのです。どこか政治が、非常に斬新で、新鮮なものになった気がしたのです。

しかし、その夢はあっと言う間に破られることになりました。細川政権はあくまで「政治改革をしなければいけない」という一点において集まっていただけです。だから、「中選挙区制を変えて、小選挙区制と比例代表の並立制にする」という法律を成立させた途端に、この連立政権は目標を失ってしまったのです。その後、細川首相は、当時の大蔵省の筋書きによって「国民福祉税をつくる」と、突然言い出します。記者会見で「3%の消費税を廃止して、7%の国民福祉税をつくります」と言った細川首相に、記者が「7%の根拠は何ですか」と聞いたら、「腰だめの数字です（おおまかな数字という意味）」と言い放ちました。根拠がまったくなかったわけですね。この発言から一気に連立政権は求心力を失っていきます。最終的に細川首相の金銭スキャンダルが出てきて、本人が政権を投げ出してしまいました。

このとき、国民には「裏切られた」という感覚があったと思います。自民党政権から新しい政権になった。そして細川氏という見栄えのいい、かっこいい総理大臣が出てきた。これで日本の政治も大きく変わるかなと思った。でも自壊してしまった。

さらに今度は、社会党が自民党と組んで、新党さきがけが入って、自社さ連合ができた。ここでもまた国民はガッカリすることになります。

55年体制の中で自民党と社会党はあんなに激しく対立していたはずなのに、その対立している自民党と社会党が一緒になってしまったことで、「ああ、そうか。対立をしているというのは演出で、実はプロレスの試合のようなもので、実は仲良かったのね」と国民に思われてしまいました。当時、村山総理大臣が誕生して、社会党の議員であるはずなのに突然、「自衛隊は合憲だ」「安保条約も認める」と言い始めます。「あれ、これまでの社会党の主張は何だったのか。政策がそんなに簡単に変わっていいのか」ということで、国民はがっかりする。そこから政治不信が非常に高まってくる。

そうして二度の裏切りを受けて、国民は「政権交代は期待できない」と思うようになり、いつしか自民党の長期政権に逆戻りしてしまうわけです。

しかし、時代が変わる中で、これまでの政党のやり方ではうまくいかないのは間違いない。

そうしてまた閉塞感が充満して何とかしたいというところで、「今度こそ自民党に代われる政党ですよ」という触れ込みで民主党が出てきたのです。

菅直人、鳩山由紀夫、そして小沢一郎という脂の乗った有力政治家3人を看板に立てて、「いよいよ自民党に代わることのできる党ができました。これで文字通りの二大政党制が成立して、国民がどちらの党に投票するかによって、次の総理大臣を選べるようになりました」と主張しました。

2009年、実際に自民党か民主党かを選ぶ二大政党制としての衆議院選挙が行われました。自民党のやり方に愛想をつかしていた人たちは民主党に投票し、民主党のトップである鳩山氏が総理大臣になりました。鳩山氏は選挙の時から民主党の代表だったわけですから、民主党に投票した人たちは「自分が民主党に投票すれば、鳩山氏が総理大臣になる」ということを前提にして投票したわけです。すると「自分たちで鳩山総理大臣を選んだ」という思いを持つことになります。アメリカは大統領を選ぶことができるけど、日本は国民が総理大臣を直接選ぶことはできない。けれども今回に限れば、民主党に投票するということは鳩山氏を総理大臣にする意味になりました。

そうしたことも追い風になって政権交代が起きた。先進民主主義国では当たり前のことがやっと日本でも起きた。マニフェスト通りに政治も進めると言った。国民の満足感、期待感はとても大きなものでした。

ところが、結局、マニフェスト通りにならないものがあったり、鳩山首相が沖縄基地問題などで迷走し、これまでと同じように国民をガッカリさせてしまいました。

成熟した政治への一里塚

期待しては裏切られ、期待しては裏切られ……。もう日本の政治には絶望してしまった。そう感じている人がたくさんいる。これが現在の閉塞感の原因だと思います。

そして今、橋下徹氏と大阪維新の会に期待している。けれども結局、同じような形にならないという保証はどこにもありません。

人間であれば、新しいものに期待をするのは、当然です。「新発売」と言われれば、われわれは飛びつく。でも政治というのは、1人の政治家が出てきたからと言って、そんなに大きく変わるものではありません。そんなに極端なことはできない。よりマシな政策を一つずつ積み上げていく。政治をより良くしていくためには、それしかありません。

民主党に政権を渡してみたけど駄目だった。では次の選挙で、今度は自民党に勝たせようとなったとします。すると、民主党は野党の立場で自民党を批判するけれども、また自分が政権を取ったときのことを考えながらの批判をすることになるはずです。与党の経験を積み、また今後与党になる可能性があるのであれば、野党としての発言も、これまでとは変わってくるはずです。

だから、今の自民党も、野党としての発言に多少は気を使っています。無理に与党を批判しようとしても、「そんなことを言っていたら、次に自分たちが与党になったときに苦労する」と考えているのか、かつての民主党がしてきたことと比べると、ブレーキがかかっています。これは日本の政治が成熟してきているということにほかなりません。

相手の主張することには、とにかくすべて反対する不毛な与野党対立ではなくて、自分たちの党のカラーを大事にしながら、国民にとってより良い国を作り上げていこうとする成熟した政治。

今は、そのような成熟した政治に辿《たど》り着くまでの試行錯誤をしている段階なのだと思います。

新しい雰囲気をまとった人が出てくると、つい期待をしてしまう。でも、新しいものに飛びついたからといって、いつまでたっても事態は改善されない。そうではなくて、今ある政治をどのように成熟させていくかを考える。

　青い鳥を追い求めてしまうのは、仕方がない。でも、青い鳥はどんなに探してもいないのです。結局、自分の身近なところにいる鳥を青い鳥にしなくてはいけない。橋下市長というのは、それに気がつかせてくれる存在のように思います。

ホームルーム

良い政治家と国民を育てるために

先生はこう思う

政治家の育て方

見どころのある候補者に試練を与える

ここまで政治の基本的な仕組みや現在直面している問題点について、解説をしてきました。最後に、私が国内外の政治取材を通して考えた日本政治がより良くなるための「私案」といいますか、ヒントのようなものを提案して、この「政治の学校」の締めくくりとします。

具体的に政治を動かすのは、やはり政治家です。政治を良くするためには政治家が良くならないといけません。しかし、今の日本は、小選挙区制の影響でチルドレン政治家がはびこり、派閥も有名無実化してしまったため、政党内に政治家を教育する仕組みもありません。さて、これをどうするか。

ちょっとここで世界へ目を転じて、同じ議会制民主主義を採っているイギリスでは、どのような政治家養成システムを持っているのか見てみましょう。

　イギリスも日本と同じく、小選挙区制を採用していて、労働党と保守党の二大政党制の国です。イギリスは格差の激しい階級社会ですので、たとえば、労働者の町の選挙区は必ず労働党が当選します。一方、お金持ちの人がたくさん住んでいる地区では必ず保守党が当選する。どんな候補者であっても、保守党から公認をもらっていれば、あるいは労働党から公認をもらっていれば、当選するという地区を、労働党と保守党はそれぞれ3分の1ぐらいずつ持っています。つまり、本当の戦いは、残りの3分の1の選挙区で行われるということですね。

　このような状況でそれぞれの政党はどこの選挙区にどの候補者を配置していくか。まず、労働党も保守党も、いわゆる一般公募の形で候補者を公募します。応募者が集まると、それぞれの党の学校で基礎的な政治の教育をします。その上で、「この人は将来性がある」「この人は育てていこう」という人がいれば、労働党ならば保守党の牙城から、保守党ならば労働党の牙城から、まず立候補させるのです。

　新人候補で知名度もなく、しかも相手の牙城で戦うわけですから、絶対に勝てません。でもその**「絶対に勝てない選挙区」で悪戦苦闘させる。そこでその候補者がどのように戦**

うのかを観察して、その後政治家として成長する余地がどのくらいあるのかを見極めるわけです。

本当に優秀な人の場合は、結果的に負けたとしてもそこそこの票数を獲得します。これがある意味では最初の試験になります。その戦いぶりを見て、「こいつは見どころがある」と党の幹部たちが判断すると、次の選挙では絶対に当選する選挙区に移します。そして、「お前はもう選挙区に戻って、選挙活動などに時間を費やす必要はない。ロンドンにいて政策の勉強をしろ」と言う。こうして党として、新人政治家を育てていくわけです。

日本は、各党がそれぞれ一般公募をしますけれども、イギリスのような確固とした「育て方」は確立していません。だから、チルドレン政治家か二世議員ばかりになる。二世候補というのは、親が地盤を築いてくれているので、息子は選挙で悪戦苦闘をする必要がありません。悠々と当選する。だから、彼ら彼女らは東京にいつもいて、政策の勉強ができる。これが、いわゆる「政策通」といわれる政治家が二世議員ばかりであるカラクリです。しかし、やはり**選挙で苦労したことがない政治家はひ弱**です。たまたま親と同じ名字を持っていて、親と顔が似ているからというだけで当選できた議員は、政治家としての粘り腰に欠ける。

アメリカの大統領選挙を解説した「特別授業・一」でもご紹介しましたが、大統領選挙は丸一年にも及ぶ長丁場です。それを非効率と思う方もいるかもしれませんが、実はその時間は大統領を大統領たらしめるために必要な教育期間なのです。

もちろん、このイギリスの議員養成方法やアメリカ大統領選挙方式を、日本にそのままあてはめてもうまくいくとは思いません。ただ、何度か講習を受けさせれば、一人前の政治家が育つのではないかというのも、甘い考え方と言わざるを得ません。長い時間をかけてリーダーを選び、そして育てていく。そのような感覚を持って、一刻も早く日本に合った仕組みを見つけ出してほしいものです。

国民の育て方

18歳で選挙権を

では、こうした政治家を育てる仕組みを見つけ、作り出すのは誰なのか。そう、私たち国民ですね。つまり、良い政治を作るためには、良い政治家が必要ですし、良い政治家を作るためには、国民が「良い政治家を作ろう」と意識しなくてはならないのです。

しかし、今の日本の若者は、政治に興味がないと言われています。まず選挙に行かない。これでは政治が改善していくはずがありません。民主主義の基本は、国民が政治に関心を持つこと。そして選挙を通じて、国民がそれぞれの意思を主張することです。

では、どうすれば、国民が政治に関心を持ち、選挙へ足を運ぶようになるのでしょうか。ここでも一つだけ、ヒントを出しましょう。**私が２０１２年度のアメリカの大統領選挙を取材して、「これはぜひ日本にも導入したらいいな」と思ったのは、アメリカの高校で行われていた「模擬投票」でした。**

アメリカには、〝Rock the vote〟というＮＧＯがあります。このＮＧＯが高校に本物の候補者を呼んで演説してもらい、生徒たちが模擬投票をするという活動をしています。

２０１２年の大統領選挙では共和党の候補者選びをしたわけですから、その学校に来る候補者も共和党の候補だけになります。日本であれば、「学校教育において、政治的に中立性が保てないのではないか」と問題になるでしょう。民主党と自民党の総裁選挙の最中に、どちらかの候補だけを学校に呼んで教材にしているようなものですから。実際、私は担当の教師に「問題にならないんですか」と質問をしてみました。すると「だって、今年候補者選びをするのは共和党だけなんだから当然でしょう」とあっさりと返されてしまいました。そこはさすが合理性の国です。

アメリカは18歳で投票権が得られます。つまり、投票日の11月6日当日に18歳になっていればいい。高校3年生の中には11月6日の段階で有権者になっている人たちが相当数いる。だから、自分たちが誰に入れようかを考える。18歳から選挙権を与えると、こんなにも政治に対する関心が高まるのには驚きました。

なぜ日本では選挙権を得るのが20歳なのかというと、酒やたばこを許される年齢が20歳だったので、その年齢に揃えたに過ぎません。いわゆる「大人」の年齢を20歳にしたので、選挙権の獲得もその年齢に合わせた。

ただ、世界を見渡せば、大体18歳です。18歳にする意味はあると思います。18歳だと、たいてい高校生で、真面目なこともあり、選挙へ行きなさいと言われればきちんと選挙へ行く可能性が高い。また、生まれ育った地元にいる分、そこがどんな状況か、誰が立候補しているか、だいたいわかるので、誰に投票すればよいか判断ができる。これが20歳になってしまうと、地方から都心の大学や会社へ行ってしまったりするので、自分が住んでいるところから誰が立候補するかわからないことが多くなります。

そこで投票しないまま何年か経ち、30歳近くなってから、やっぱりこれじゃいけないと思って選挙へ行くことにしたが、投票所でどうしていいかわからないという話が本当にあります。日本の高校生には、今の総理大臣の名前すら知らない人がたくさんいます。やはり、**民主主義を育てようと思うのであれば、早いうちから政治に興味を持つような教育は必要**です。

この模擬選挙にはロン・ポールというおじいちゃん候補もきました。

この人は、一応共和党の候補者になろうとしていたけれども、徹底したリバタリアン（自由主義者）です。共和党候補になれなかったらリバタリアン党から立候補するだろうといわれている人です。上院議員なのですが、徹底的な自由主義者で、社会保障は要らない、医療保険制度は直ちに廃止する、FRB、中央銀行は要らない、連邦政府はとにかく小さくしなければいけないと主張しています。「世界中からアメリカ軍基地を直ちに撤退させる。アメリカ軍はアメリカを守ればいい。国連からも脱退する。海外援助は一切しない。そうすれば軍事予算は縮小される」と、こう演説するわけです。

その高校では、彼が圧倒的な人気を得ていました。「アメリカ軍はアメリカを守ればいいんだ、世界中にいるアメリカ軍は直ちに撤退する。君たちを戦場に送ることはない」といった途端に、高校生がわーっと湧きました。

このロン・ポールの面白いところは、徹底的な自由主義と反戦平和主義が結びついているところです。ロン・ポールの応援のためにオハイオから来ていた大学生に、「ロン・ポールが大統領になって世界中からアメリカ軍を撤退させたら世界情勢が不安定になると心配する人もいるけど、どうですか」とインタビューをしてみました。すると、「あんたは日本から来たのか。日本人はアメリカ軍基地が欲しいのか」と聞かれてしまいました。それで「いやいや、それはいろんな議論があるんだけど……」と言うと、「そうだろう? 日本は偉大な国なんだから、日本のことは自分たちで守りなさいよ」と言われてしまいました。

ははあ、おっしゃる通り、となるしかない。このロン・ポールが大統領になれば、沖縄基地問題は一瞬にして解決しますね。日本の国をどうやって守るのかという話になりますが。

さらに聞いてもいないのに、韓国も偉大な国なんだから、韓国は自分たちで守ればいい。アメリカ軍が朝鮮半島にいる必要はない。さらにたまげたのは、イスラエルは中東で最大の軍事国家なんだから、アメリカが援助する必要はないとも言っていました。

こうした議論に、高校生の時から触れて、しっかりと自分のこととして考えてもらう。そして、政治に関心を持つ国民を一人でも増やしていく。それが民主主義を土壌から育てていくことになるのです。

あとがき

2012年8月、消費税増税法案が国会で成立しました。その直後、民放テレビのニュースショーを見ていたら、コメンテーターとして出演していた女性タレントが、「消費税が上がっても、その結果どうなるのかわからないから、政治に対する不信感が募りますよね」とコメントしていました。

ちょっと待って、テレビでコメントするなら、ニュースをしっかり把握していてよねと、私は思わずテレビ画面に向かって突っ込みを入れてしまいました。

消費税増税法案は、「社会保障と税の一体改革」として提案されました。消費税を上げる分、社会保障をどうするかが、あらかじめ提示されています。このことは、各新聞に詳しい解説が掲載されています。「その結果がどうなるのかわからない」のは、この女性が、新聞をきちんと読んでいないからです。

でも、世の中には、こういう反応が多いですよね。政治批判の中には、今の政治がどうなっているのか知らなかったり、そもそも政治の仕組みを理解していなかったりするものが意外に多いのです。

まずは政治の仕組みを理解し、新聞を読んで政治状況を知った上でコメントしてほしい。そう思ってしまうことが多々あるのです。

政治不信が広がっています。政治が私たちの思いに応えていない。それは、その通りです。でも、政治家は政治家なりに、国家社会のことを考えています。そうした政策や方針を知らないまま、勝手に政治家や官僚を叩く。そんなことが多過ぎます。それでは世の中はいつまで経っても、よくなりません。

そんなことが続いていると、政治家の中には、ひたすら有権者におもねる人も出てきます。これぞポピュリズムです。

政治を批判するなら、まずは、政治の基本を知っておきましょう。そんな思いから、この本を書きました。

消費税増税法案成立に向けては、与野党で対立していた民主、自民、公明の3党が合意にこぎ着けました。国民に不人気な増税を推進することは、個々の議員にとって、決してプラスになることではありません。「私は消費税増税に反対しました」と選挙で有権者に語りかけることができる実績をつくっておいたほうが再選には有利でしょう。でも、**与野党の多くの議員が、とりあえずは目先の自分の利益より、国家の財政再建の目標を優先したのです**。与党議員が賛成するのは当然のことであるにしろ、野党の立場で与党の増税方針に賛成するのは、大変勇気のいることです。

これを見るだけでも、**日本の政治も少しは成熟したのかなと私は思います**。

その一方で、大胆な発言をし、「こうすれば世の中がよくなる」という処方箋を提示する政治家や政党もあります。こうした発言を批判的に報じた新聞社には抗議が殺到。「もうお前の新聞は購読しないぞ」という電話がかかってくるのです。

かつて日本陸軍が中国大陸で戦線を拡大していることを批判的に伝えていた新聞が、読者の不買運動に屈して、戦争支持に転じた例を思い出します。熱狂の恐ろしさです。

特定の政治家や政党を支持することはいいことですし、当たり前のことです。しかし、その政治家や政党が批判されたことでかっとなり、激しく攻撃するようでは、成熟した政治は生まれません。

互いに冷静に批判し、議論を交わす中で一致点を見出し、少しでも前に進む。これが政治のあるべき姿であり、そうしなければ政治は前に進みません。そんな問題意識を持って、この本を読んでいただければ幸いです。

この本をまとめるに当たり、前著の『池上彰のお金の学校』と同様に朝日新書の二階堂さやかさんと首藤由之編集長、それに井之上達矢さんにお世話になりました。

池上　彰

2012年8月

池上　彰　いけがみ・あきら
1950年、長野県生まれ。ジャーナリスト。東京工業大学教授。慶應義塾大学卒業後、NHKで記者やキャスターを歴任、94年より11年間『週刊こどもニュース』でお父さん役を務める。2005年からフリーランスとして多方面で活躍。著書に『知らないと損する池上彰のお金の学校』（朝日新書）など。

朝日新書
364

池上彰《いけがみあきら》の政治《せいじ》の学校《がっこう》

2012年 9 月30日 第 1 刷発行
2012年10月20日 第 2 刷発行

著　者　池上　彰

発行者　市川裕一
カバーデザイン　アンスガー・フォルマー　田嶋佳子
印刷所　凸版印刷株式会社
発行所　朝日新聞出版
〒104-8011　東京都中央区築地 5-3-2
電話　03-5541-8832（編集）
　　　03-5540-7793（販売）

Published in Japan by Asahi Shimbun Publications Inc.
ISBN 978-4-02-273464-8
定価はカバーに表示してあります。
落丁・乱丁の場合は弊社業務部（電話03-5540-7800）へご連絡ください。
送料弊社負担にてお取り替えいたします。

財務3表実践活用法
会計でビジネスの全体像をつかむ

國貞克則

決算書は「企業経営の成績書」といわれるが、ビジネスの構造や将来を考える材料としても使える。経営者の意思をつかむ、事業再生を考える、予算をコントロールする……。累計50万部突破の『財務3表シリーズ』第3弾。自分の会社の事業で即、使える決定版！

深読みフェルメール

朽木ゆり子
福岡伸一

空前のフェルメールブーム。なぜそこまで惹かれるのか、その魅力と見どころ、お互いの解釈やウンチク、巡礼の旅の苦労と楽しさ、盗まれた作品の行方などを語りつくす。初心者もマニアも納得。全点踏破のふたりによる世界一わかりやすいフェルメール論!!

身につまされる江戸のお家騒動

榎本 秋

バカ殿の押込め、守旧派vs革新派、江戸幕府介入……まさに我が家、我が社と同じ！ 幕府をも揺るがす重大40件を厳選。お家存続のための知略の限りを尽くした頭脳戦は、現代人必読のエピソード満載！ お家騒動がわかれば日本史が見える!!

すりへらない心をつくるシンプルな習慣

心屋仁之助

真面目でがんばり屋な人、責任感が強く、できる人だからこそ、つい会社の人間関係で悩んだり、損したり、仕事で落ち込んだり、自信をなくしたり……。そんな人たちのために大人気心理カウンセラーが教える、ラクに自分らしく働くためのヒント。

仕事の迷いにはすべて「論語」が答えてくれる

北尾吉孝

仕事、人、組織に関する悩みとその対処法は、すべて『論語』に書かれている。『論語』を座右の書としてきたSBIホールディングスの北尾社長が、ビジネスの要諦に通じる論語の言葉、解釈を自身の経験を交えて紹介する。2500年前の知恵が悩めるビジネスマンを救う。

都会の雑草、発見と楽しみ方

稲垣栄洋

街なかで見る「雑草」は、どこかいとおしい。踏まれても生き抜く雑草魂は、つい人生にたとえたくなるが、ちょっと注意深く見ていくと、季節や場所の変化によってじつに面白い展開がある。雑草博士が「雑草の気持ち」になって書いた、植物の知恵が楽しめる本。

2013年、世界複合恐慌
日米欧 同時インフレが始まる

相沢幸悦

ギリシャ問題に端を発したEUの経済混乱は全世界に広がっている。問われているのは、通貨の信認だ。ユーロ、ドル、円。世界の主要3通貨が互いに絡まり合いながら同時に価値が下がる——21世紀型複合恐慌が、これから始まるのだ。